JN064607

「考古・史学」

連鎖の世界を見る

柳原雪信
Yukinobu Yanagihara

中央公論事業出版

序　文

十六年ほど前、図書館にて一冊の本が目にとまったのです。それは自身の郷土群馬県の考古学研究家、相澤忠洋氏の著書、『「岩宿」の発見――幻の旧石器を求めて』です。このことがきっかけとなり、一市民の立場から考古・史学の在り方を求めて、挑戦の日々が始まりました。その時から十年後、孫栄健氏著『邪馬台国の全解決――中国「正史」がすべてを解いていた』に出会い、その発想は私にとって、新たなる一冊の教科書的存在と思えたのであります。こうして紆余曲折の末、考古・史学に対しての我が信条の結晶とも言うべき本として、表題の出版に漕ぎつけた次第です。ここに、謹んで関係各位の皆様方に心より感謝申し上げます。

「考古・史学」連鎖の世界を見る　◇　目次

一　人類進化のプロセス

アフリカ大陸は人類発祥の地とされている。類人猿・猿人・原人・旧人・ホモ・サピエンス等のユーラシア大陸との関係は、果たしてどうなっているのであろうか。科学的知見が大きく発展した21世紀の世界情勢の最中にあっても、なおその研究成果は依然としてモザイク模様の状態の中にあるのであろうか。これ等について、研究者諸氏の知見を共有しつつ、人類の様々な実態に迫るタイムスリップの世界旅行に、共々出掛けることにしようではありませんか。

酷暑の2001年7月、フランス・ポワティエ大学の古生物学者ミシェル・ブルネが率いるチャド湖人類学調査チームによって、アフリカ中部・チャド、ニジェール、ナイジェリア、カメルーンの4カ国の境界に位置する、サハラ砂漠南端チャド湖付近のトロス・メナラ遺跡から、約七百万年前の最古の人類化石と推定される「サヘラントロプス・チャデンシス」のほぼ完全な頭骨化石が発見されている。この頭蓋骨はトゥーマイ（現地ゴラン語で、「生命の希望」という意味である）という愛称で呼ばれ、脳容量は350ccで、現在のチンパンジーよりも小さい。首から下の骨が残っておらず、直立二足歩行をしていたかについては不明であるが、大後頭孔が類人猿のように後方に位置することから頭骨は前傾して、直立した場合には、バランスがとりにくかったと推測されている。

コレージュ・ド・フランスのイヴ・コパンが唱えた「人類起票モデル」によれば、東アフリカが人類誕生の場所だった。コパンは、最初期の人類化石が悉く東アフリカから出土するのは、南北に走る大地溝帯が単一の祖先類人猿種を二つの集団に分離し、東側の集団が人類に、西側の集団は現生類人猿に進化したためだと提唱した。しかし、その後、人類化石が東アフリカに集中するかのように見えるのは、発見される化石が少ないことによる偶然の結果という見方も出た。カルフォルニア大学バークレー校のティモシー・ダグラス・ホワイトは、サヘラントロプスが示してくれるものがあるとするならば、それは共通の祖先は、チンパンジーのような姿ではなかったかということだ、しかし、共通の祖先がチンパンジーと似ている必要がどこにあるのだ、と言う。現在のチンパンジーも、ヒトの進化と同等の時間をかけて、果実食（実際には、サル、昆虫を捕食する雑食性）の類人猿として特殊化してきたので、祖先から形態が変化しても不思議ではない、と指摘している。また、ブルネに対して、ミズーリ大学のキャロル・ワードは「サヘラントロプスがどうして人類でなければならないかという点が、不明確だ」としている。彼女を含めた数人の研究者は、犬歯がブルネの主張するほど、ヒト的かどうか懐疑的だと言う。

また、ミシガン大学のミルフォード・ウォルポフは、マーティン・ピックフォードとブリジット・セヌー（オロリン・トゥゲネンシス発見グループ）の連名で、サヘラントロプスは、人類ではなく類人猿だと2002年10月に科学雑誌に反論を寄せている。その内容は、頑丈な眉隆起、頭骨底部と後部など、非常に硬いものを食す類人猿の形態的な特徴と一致し、犬歯が小さいのは、人類の祖先としての特徴ではなく、類人猿のメスの特徴であり、ゴリラの祖先である、と主張している。

ブルネは、これ等の見解に対して、1925年にアウストラロピテクス・アフリカヌスを発表したレイモンド・ダートが受けた反論を参考にして、応戦している。サヘラントロプスの特徴は、祖先が受け継いできた「原始性」が残っているだけであり、人類との関係を否定するものではないというのが、ブルネの主張である。

そもそも見解が対立する一因は、人類の系統に何が固有な特徴なのかが、研究者の間でも一致していないからだ、とK・ウォン（サイエンティフィック・アメリカン編集部）は見ている。

アリゾナ州立大学の自然人類学者ウィリアム・キンベルは、チンパンジーとヒトの系列が分岐した時点から保持されてきた特徴の中で、どれが本当の派生形質なのかを見つけ出すことが、骨格形態学的観点から人類を定義することになる、と説明している。化石が貧弱なので、どの形態が、それに当たるのかよくわからない。しかし、キンベルによると、人類を特定する派生形質の最有力候補は、二足歩行と、犬歯の形態変化だという。見つかっている化石は、オロリン、アルディピテクス・カダバ、サヘラントロプスと、ごく一部だけで、共通している部位はほとんど無く、比較ができないという。

ここ数年の化石発見ラッシュは、人類進化が最初から複雑だったことを示すと考える研究者もいる。トロント大学のデビッド・R・ビーガンもその一人だ。彼はもともと、人類と、アフリカにいる現生類人猿との共通祖先にあたる中新世の類人猿は、一時期をヨーロッパと西アジアで棲息して、ある程度進化してからアフリカに戻ったと考察している。ビーガンは新しい環境、そして戻ってきたアフリカに進入して、適応放散（同類の生物が、様々の環境条件に適応して進化し、多様に分化すること）しようとしている類人猿が備えているような雑多な特性を、サヘラントロプスは持っていると見てよいという。当時、チンパンジーよりもヒトに近い属が10～15％居たとしても驚くには当たらないとしている。ミズーリ大学のワードは、「類人猿の共通祖先に近づくほど、人類の化石かどうかを識別することは、難しくなるだろう」と、予測している。

ヒトに最も近縁である類人猿の最古の化石は、ケニア北部の漸新世後期２５００万年前の地層から発見されたカモヤピテクスとされている。当時の気候は温暖で安定しており、アフリカ大陸は広く熱帯雨林に覆われていたと考えられ、カモヤピテクスも森林性であったと思われている。

中新世２５００～５００万年前に、数多くの類人猿が登場するが、アフリカとアジアでは２２００万年前のプロコンスルから、５５０万年前のサンプルピテクスまで連続して類人猿の化石が出土する。ところが、それ以後アフリカでは、人類化石と思われる化石を除くと、類人猿の化石は発見されていない。

さて、まだまだ書き続けてみたい気がするのであるがきりがないので、ここで大胆な空想的考察を試みることにしよう。

ヒトと共通する類人猿などは存在しなかったのだ。ヒトはヒトになるべくして、そのＤＮＡを独自に変異進化させ、現在に至っているのであり、決してオランウータン、ゴリラ、チンパンジー、ボノボの系統樹ではない。

生物は擬態・変態能力を持ち合わせているので、その形態的特徴も、限りなく共通的同属性を、感じさせるものがあると言えよう。すべての生物は、この地球という

図１　人類進化イメージイラスト（箕浦太二作画）

天体を拠り所として発生しているので、共存、共有は、生命体としては極めて必然的な成り行きであり、突然変異的にある種だけが別種に変化、進化していくプロセスには、無理があるように思える。化石人類の未解決部分を、強引に枝分かれという系統樹で説明しようとした研究者諸氏の発想自体に、大きな誤算があったのではないだろうか。そのように解釈すれば、系統樹の枝分かれの部分がなくなり、鬱陶しい長雨の晴れ間のように、スッキリするのではないだろうか。

アフリカの熱帯雨林で生まれた多くの生命体は、一定の期間それぞれの種を持ち棲息したのだが、熱帯雨林という密林のベールの中で淘汰されたが故に、その実態は広がりを持たず消滅し、化石になることも出来なかった。そして、しぶとく生存し続けたものの中で、死後の状態、条件が更に好適なものだけが化石となって、その存在アピールをしたのだ。

オランウータン、ゴリラ、チンパンジー、ボノボは、遡れば限りなくヒトに近いと思われるが、未来は限りなく平行線であり、１、２％の溝は埋まることはないであろう。

密林と草原の関連は、諸動物の進化にとって、解明していかなければならない大きな課題と言えよう。
人類考古学・DNAによる分子進化学・自然科学・生物学・文化人類学・宇宙物理学等の学術を結集する世界機構の設立が、急務となるだろう。

二　ダーウィンらの科学的知見

チャールズ・ロバート・ダーウィン（1809〜1882年）はイギリスの生物学者で、進化論を体系づけ、文化一般に多大な影響を与えている。ダーウィンは、比較的裕福な家庭に生まれ育ち、医学の道を志したが挫折。狩猟、競技、饗宴にその青春を過ごす一面もあったが、学問探求への道は途絶えることはなかったという。若き日に培った医学を通した探求への道は、ビーグル号の航海によって成熟され、1859年に『種の起源』を著すに至ったのである。いわゆる、「生物の進化について」の説は、フランスの生物学者ジャン＝バティスト・ラマルク（1744〜1829年）をはじめ、何人かの学者によって、『種の起源』が出版される50年以上前から、取り上げられていた。ラマルクはこの中で、生物は単純なものから複雑なものへと発達する傾向を持つと説き、外界の影響による変異や、用、不用による器官の発達、退化などの変化、獲得形質が遺伝することも、重要な要因であると説いた。いわゆるラマルクの進化説である。ラマルクから連なるこれら一連の流れは、神が生物を創造したという抑圧概念に対する、また、生物の種の不変説というドグマ・教条、独断的な説に対する反発として生まれてきたものであったという。

スウェーデンの博物学者カール・フォン・リンネ（1707〜1778年）は、「種の数は、始めに神が創造しただけある」と言い、さらに「これらの種は、生殖によって、常に自己と同じものを生み出しながら増えてきた」と述べている。しかし、やがてこの原則とは一致しない、二通りの事実が明らかになった。フランスの社会学者エミール・デュルケーム（1858〜1917年）は、次のように述べている。「一つは、いろいろな地層から見つかる化石が、本当に過去の生物遺骸であるという事実であり、もう一つは、様々な生物の飼育、栽培中に、突然変異が現れてくるという事実である」。このようにして、科学的知見から分析され、これまで蓄積されてきた因習深きヒト社会の営巣に挑戦する、新たな形態学が勃興してきたのである。

ホモ・サピエンスは知性人、叡知人の意。所謂新人類も、先史と言われる時代までは、自然と対立することなく、ほぼ自然の中で折り合いをつけながら、自然と協調する姿勢で、生存し続けてきたと思われる。

三　ホモ・サピエンスの行方

生命体の発生は、38億年前に、細菌などの原核生物が最初だとされているが、これらの生物は、構造的に区別できる核を持たない細胞から構成された細菌・藍藻(らんそう)の類である。

これらは当初、低酸素濃度の環境で生息していたが、従属栄養細菌、光合成細菌等の働きで、大気中の酸素濃度が上昇を始めた。このようにして、10億年前になると、地球上の大気中の酸素濃度が、現在の１０００分の1となり、6億年前になると、１００分の１へと急激に上昇したという。その酸素を電子受容体・酸化還元反応で電子を受け取り、還元される物質とする、電子伝達系を持った細菌が出現したのは17億年前と言われている。この後、原核生物（細胞核を持たない）と呼ばれる生物が出現したのが、14～15億年前の事だという。そうして遂に、核を持ち細胞分裂の際に、染色体構造物を生ずる、細菌、藍藻以外の真核生物（動植物、菌類、原生生物など、身体を構成する細胞の中に、細胞核と呼ばれる細胞小器官を持つ生物）が出現したのである。真核生物は、細胞小器官、二重の生体膜からなり、細胞質中に多数分散してミトコンドリアが存在する。ミトコンドリアは内部に棚上の構造が有り、独自のＤＮＡを持ち、自己増殖をする。呼吸に関する一連の酵素を含み、細胞内のカロリー発生の場でもある。

その後、このミトコンドリアを持った真核生物が急速にその分布を拡大していったという。9～6億年前になると、ミトコンドリアとタッグを組んだ各種の後生生物が出現して、生物の勢いが盛んな古生代（カンブリア紀・5億4千年前～4億8千年前）へと変遷していくのである。

概ね（おおむ）このようなプロセスで、地球上の生物は、自然界の酸素供給の上昇とともに、拡大進化を遂げてきたと考えられている。呼吸は、酸化還元反応と呼ばれるが、酸化と還元は相伴って起こるので、全体の化学反応を酸化還元反応と呼ぶ。このとき反応物質の間で電子の受容を伴うので、電子移動反応とも言う。

火それ自体は人類の意識とは関係ない。

さて、火山は、地下数キロメートル程の深さにあるマ

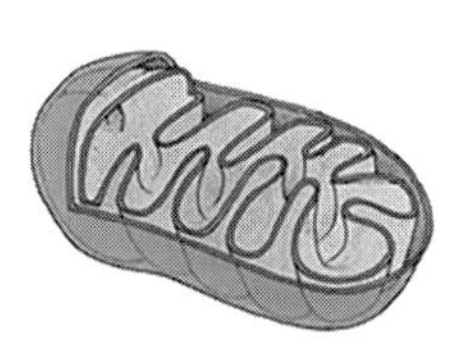

図２　ミトコンドリア図

グマが、地殻の裂け目を通って、地表に噴出して生じた山である。火山噴火は過去から現在に至るまで、自然界に大きな影響を与え続けている。人類史上、切り離すことは出来ないであろう。

幼少の頃、冬季には、西方にいつも白き衣を纏った頂に、白煙をたなびかせている浅間山を目にしながら、小学校の登下校をしていたのだが、ある日突然に、ゴーという地鳴りと共に爆発音が轟いた。そして、バラバラと音がすると、近くの桑畑の桑の葉に灰色の火山灰が積もり、彼方の浅間山の頂には、いつもとは違う煙がモクモクと吹き上げている情景が、脳裏に焼きついている。

その後、群馬県西端と長野県境の「鬼押出し園」に遠足に行った。そこは、浅間山北斜面の溶岩流地域であり、途轍もない黒々とした大きな岩が、覆いかぶさるように存在していた。聞けば、１７８３年（天明3年、江戸後期）の大爆発で大量の溶岩が流出し、麓の村を呑み込み、多数の死者を出している。

また、この噴火の影響により、遠く離れた江戸に大飢饉が襲ったという。

人類が初めて火山の噴火を目の当たりにした時、その

強大な火力に驚愕したことであろう。次の瞬間、全身に戦慄が走り安全地帯へと、逃げ惑ったに違いない。火口からは火柱や噴煙、砕屑物（さいせつぶつ）が火山弾となって降り注ぎ、流れ出した溶岩は周辺を焼き尽くし、辺りを一変させたことだろう。また、落雷による野火、自然発火による山林火災、これ等自然界に発生する火力の体験は、ヒトに限らず、ほとんどの陸生動物が恐怖としてインプットしたであろう。

しかし、ヒトのみが火力と対峙して、掌握することが出来た。そのキッカケと思えるのが、自然現象による火の威力である。ヒトは逃げまどい徘徊している時に、偶然に焼けた動物肉を手に入れ、食すことにより、命を繋げることを知ったとしても不思議ではない。その延長線上において、生肉や植物をそのまま食すよりも、火に焼かれることにより、安全かつ、美味で、保存可能な食物になることも知ったのではないか。そして、多くを経験するなかで、危険な肉食獣から身を護れることも察知したのではないか。

このようにヒトは、自身の手によって、火起こしを試みることへの意識も、当然、起こってきたと思われる。しかし、ただ、火を遠くから眺めているだけでは、他の諸動物と同じ経緯を辿るに過ぎなかっただろう。けれども、ヒトの海馬・脳の内部に在る古い大脳皮質の働きは、多くの可能性を本能的に終わらせることなく、大脳皮質との電気回路を活用したタッグにより、可能性をネットワーク的に発展持続させていく、デュナミス（ラテン語。能力の意）を発揮したのだ。

ヒトが石器製作を始めたのは、遺跡の発見により260万年前頃とされている。そして、ヒトが火を使い始めたとされるのが、約80万年前頃とするならば、その間約180万年が経過していることになる。考古学を学んでいる人ならばご存じのように、旧石器時代の人類の生活形態を知る手立ては、ほとんど残されていないのが現状と言える。壮大な時間経過の中での内実を、稀（まれ）ともいえる遺跡の中に残された僅かな遺物から知り得ることは、至難の業である。その中に於いて、石器は殆ど朽ちる事無く、現生人類の目の前にその形を留めている。「二足歩行・石器製作・火起こし」、この三要素が、人類を繋ぐ大きなウェートを占めている事については、何人も異論はないだろう。

さて、ここでヒトの大きな特徴である言葉・音声言語について触れてみたい。

言葉は、ホモ・サピエンスの代になって、大きく開花したとの説が有力である。多くの動物は、何らかの方法で音を発して存在や情報を伝えようとするが、中でもヒトは、脳力と身体器官を絶妙に働かせ、言葉を編み出し、文化文明と言われるものを、手中にして来たのだ。

アメリカ自然博物館人類学部門の主任研究員イアン・タッターソルは『鏡の中のサル　何が私たちを人間にしたかに関する科学エッセー』（原題“The Monkey in the Mirror: Essays on the Science of What Makes Us Human”）の中で、次のように述べている。言語の無い生活から言語のある生活に転換すると、認知能力にも、実行能力にも、とてつもない飛躍が起こった。単語と対象の関連が生じれば当然語法も発達するが、それは、もっと後になってから別個に起こったと思われる。不明確な音声言語から、有節音声言語への進展が、一時的に起こったとは考えられない。

幼児の言語習得は、まず急速に語彙（ごい）を身につけ、次に語法を、二歳以後になって文章構造を、という具合に何段階も経て発達する。人類の言語の獲得もこれと同様の過程を辿ったと思われる。言語の発生の歴史は非常に複雑だが、私たちは、それが起こった過程を体現しているからこそ、私たちの観点から解明できる。

もちろん、言語が発生すると同時に、変化も起こった。極めて複雑化、多様化しながら人類集団の中に、限りなく広がっていった。しかし、文化が違っていても、世界中に共通の文化が見られるのは、文化が生まれる以前から、人類全体に共通する基本的認知過程があった証拠だろう。

しかし、もう一つの要素を説明しなければならない。喋るためには、発声器官に命令する脳が必要なことは当然だが、同時に脳からの指示に適切に反応する、声道などの発声器官が必要だ。ところが、原始的な霊長類の声道ではうまく反応できない。実際、類人猿を含めた全ての動物の中で、人類だけが有節音声言語の基礎となる声を発することが出来る、唯一の動物である。

声道の基本構造は、声帯が収まっている喉頭、それに続き鼻腔と口腔につながっている管状の咽頭、そして、舌とその付属器官である。声は声帯で作られ、更に、咽頭やその先の声道で調整される。類人猿を含めて、ごく普通の哺乳類や新生児では、喉頭は頸の高い位置にあるので、咽頭は短くなり、声を調整できない。それに対して、人間が成長してくると、喉頭が頸の低い位置になるので、咽頭が長くなり、声を調整する潜在能力を増大させた。喉頭の位置が高いか低いかは、頭骨の底が屈曲しているかどうかで判断できる。

調べてみると、ほぼ200万年前の「ホモ・エルガスター」に、そのような屈曲の証拠がわずかに発見された。エチオピアで発見された60万年前の「ホモ・ハイデルベルゲンシス」の頭骨には、現代人に匹敵するほどの屈曲が見つかった。

言語とそれに関する解剖学的な出現は、今の時点で振り返ってみると、人類の生存にとって非常に有利に見える。しかし、こうした特徴は、自然淘汰によって、残されたものでは有り得ない。現在のところ、私たち人類という卓越した生物の起源をめぐって、何が起こったかを説明するには、外適応という、地味な過程に頼る以外にないと、述べている。

因みに、米国にある米国言語講座のデータベースによると、世界の言語数は6912、アフリカの言語数は2092となっている。割合からするとアフリカの言語は、世界の30％を占めている（世界人口は70億人と言われる）。これほどの言語が有りながら、世界共通語として、圧倒的シェアを得ているのは、「国際連盟」の公用語とされている英語、スペイン語、フランス語、中国語、ロシア語である。また、世界的に見ても、人類はその自然的必然性をも備え顕在化させて、今に生きていると言っても過言ではないだろう。

四　日本近代考古学・モースの功績

人類は長い間、アフリカの地で進化を繰り返し、結果、ホモ・サピエンスとして出アフリカを果たしたのは、5万年前とも10万年前とも言われている。現在のところ、考古学的にルートは諸説あるが、ユーラシア大陸を遊動し、極東の日本列島に至ったのは3万8千年前頃ではないかと見られている。

さて、この島嶼日本は、人口1億2650万人（2018年現在）、島の数は4345（国土地理院発行、五万分の一地形図より。北方領土は含まず、岩礁を含む）。

この日本国の本格的な考古学への取り組みは、明治時代に入ってからである。それまでの主な記録としては、奈良時代（710～784年）に採取されている石鏃・雷斧（縄文時代の石器）などと呼ばれ、比較的注意を引きやすいものが取り上げられている。そのうち雷斧は、落雷などの際に天空より降ってきたものと考えられ、その考え方は庶民の間にも広まり土着信仰の対象物となって、一部は神社にも祀られているという。後代になると、それが果たして天然現象の産物なのか、それとも人工品なのかを巡って、議論が細々と繰り広げられていたという。

江戸時代末期、木内石亭（1774～1808年）によって、ようやく「石器人工説」を定着させるまでに漕ぎつけた。彼は、博物学書『雲根志』を著した（前編五巻・後編四巻・三篇六巻）。そのうち前編は1773（安永2年）に書き上げ1801年（享和元年）にかけて全巻が刊行された。雲根（雲は、山気が石に触れて生じるとの説に基づく）は石の異称で、奇石類（考古学資料を含む）を整理し、図入りで解説している。その書の中で石亭は、『続日本後紀』（六国史の四番目、仁明天皇一代18年間、833～850年の編年体の史書、藤原良房・藤原良相・伴善男・春澄善縄らが文徳天皇の勅を奉じて撰進された）に、「承和六年〈839年〉出羽国（現在の秋田、山形両県の大部分）より言。去八月二十九日田川郡の西浜より府に達する程五十余里、もとより石なし、しかるに月の三日より霧雨やまず、雷電甚だしく十日余日を見る時に、海浜より自然に隕石有り、其数少なからず或いは鏃に似、或いは、鋒に似、或いは白く、或いは黒く、又青く赤い」と、また、『日本三代実録』（六国史の六番目、892年〈寛平4年〉宇多天皇の勅命により、藤原時平・源能有らが編集、901年完成）に「仁和元年六月二十一日出羽国秋田城中及飽海郡神宮の西浜に石の鏃ふらすと又云、同年二月出羽国飽海郡諸山の神社の辺り石鏃をふらす等、紀刕熊野海辺にて鯨を取、其鯨の皮肉の間に鏃あり又、大風雨の後山崩れなどした山中にあり」と記している。木内石亭没後69年、日本考古学界にとって、遂に記念すべき時が訪れたのである。1877年（明治10年）6月18日、エドワード・S・モースが39回目の誕生日、横浜港に接岸した。彼は1838年6月18日、アメリカ合衆国メーン州ポートランドで誕生。1925年12月20日、マサチューセッツ州ボストンに近い町セーラムで死去している。動物学者でもあったモースの来日の関心事に、腕足類（わんそくるい）という生物があった。シャミセンガイ、ホオズキガイの名で分かるように貝殻を持つ二枚貝、つまり軟体動物斧足類（ふそく）に似ているが、基本的な違いがあるという。モースは、日本にその30～40種類がいることを知って、訪日を決意した。1877年から5年間、夏だけ日本で過ごす計画を立てて、5月29日にサンフランシスコを出港した。横浜に到着したモースは休む間もなく、条約港である横浜以外の外国人移動禁止区域で、適当な臨海実験場を設けるため、紹介状を携え、6月20日、汽車で東京の文部省顧問を訪ねている。日本の考古学界史上に名を残す大森貝塚の発見は、このとき、果たされたと思われる。この1回目の上京で、東京大学教授の職を薦められる。7月12日、モースは東京大学動物学生理学教授に任じられて、7月17日から夏の40日間を、神奈川県の江ノ島で過ごすことになった。東京大学は実験場となった漁師小屋の家賃を負担して、助手松村任三を提供している。9月12日、モースは初めて教壇に立つ。9月16日には念願かなって、松村任三及び、学生の松浦佐用彦、佐々木忠次郎等と共に、初めて大森貝塚を訪れている。大森貝塚の調査は、最初から東京大学の仕事として計画、実行され、遺物は東京大学の考古学博物館に収められることになっていた。この第一回踏査から、モースは日を置かずに、マレーを連れて大森貝塚を訪れており、9月29日には佐々木が同貝塚を訪れ調査している。9月21日、早くもモースは、「大森貝塚第一報」をまとめ、科学雑誌『ネイチャー』に送っており、これが同誌11月29日号に掲載されたという。10月13日、横浜の日本アジア協会で行われた、大森貝塚についての最初の講演の内容も、これとほぼ同じであったと思われる。この第一報では、まだ「食人の風習・発掘された人骨に削られた跡があったが、不証明」や、「現代の貝と貝塚との差」に触れていない。しかし、土器が多量で装飾変化に富み、石器が乏しく骨器が多いことを上げて、鹿、猪の骨の多い事実を、デンマークの貝塚に共通するとして、大森貝塚が古い年代に属することを既に考えている。モースは10月6日から3回、東京大学で「進化論」の講義を行っている。彼は初めて日本に進化論を紹介した功績を持っている。3回目の大森貝塚踏査は、多数のメンバーで行われており、これに先立ち、10月1日東京大学は、東京府に調査を通知して了解を求め、さらに「他より願い出が有っても、許可しないように」と書き添えている。1981年、『ボン大学日本学研究紀要』でシーボルトの研究が発表され、その中で1877年秋、シーボルトが大森貝塚の発掘を計画していたことを明らかにした。東京大学への添え書きは、シーボルト側の動きを察知し牽制したものと思われる。10月7日、週刊新聞『民間雑誌』第17号は、初めて大森貝塚調査について報道している。このような経緯で貝塚調査は、鉄道路傍の工部省敷地内を調べ尽くすと、当然柵外に及ぶことになる。東京大学は10月下旬以後、東京府を通じて東京府荏原郡大井村の、桜井甚右衛門と交渉し、その所有地大井村2960番地鹿島谷（現品川区大井6丁目辺り）の2畝6歩（220平方メートル）の調査に着手した。地主は代償として80円を請求したが50円で決着している。翌1878年3月10日から、この調査は専ら松浦・佐々木の両生徒によって遂行されている。なお大森貝塚は、大井村に所在しているにもかかわらず、発掘当時からモースをはじめとする関係者の多くによって、誤認識されていたという。

2007年10月8日、大森貝塚遺跡として保存されている公園に、立ち寄った。その場所は池上通りに面して、比較的交通量も多く、隣に路線バスの発着所が有り、混雑した場所に位置している。近くの電柱の表示板には、確かに大井6丁目の表示がされている。歴史的モニュメントとしては、特別目立った感じはなく、意識していなければそのまま気づかず、通り過ごしてしまいそうである。入口に立つと、だらだらと登り勾配が続き、そこが小高い丘になっていることがわかる。園内の周囲は、遺跡発見当時の臨場感を演出するかのように、凝固剤で処理された岩肌が姿を見せている。園内の途中にモース博士の胸像が設置されている。丘の頂に佇むと、眼下に東海道線のレールが、どこまでも続いているのがわかる。モースが車窓から、どのような状況で貝塚を発見したのか想像するに、博士の観察眼と、当時の汽車のスピードもゆっくりとして、心にゆとりもあり。また、自然が豊かで、小高い丘が鉄道建設のために削られた斜面に大量に露出しているのが、大きな目印塔になったのではないだろうか。丘の頂を越して、少し下ったところに小さな窪地があり、そこには白い二枚貝の貝殻が、歴史の証人のように、収められていた。

1877年（明治10年）11月1日、モースは一時帰国をしている。この際彼は、大学当局と外務省の了解を得て、大森貝塚の土器のうち形紋様が重複する物を選定し、アメリカの博物館、大学に寄贈し、見返りにアメリカの資料を東京大学に寄贈させることを提案し、実行したのである。考古資料に加え、多くの動物標本の交換が実現し、モースは大学当局に、国際間の資料交換の範を示すとともに、図書館の基礎づくりにも貢献している。

1878年6月30日、モースは浅草須賀町井生村桜で、500人を超す一般聴衆を前に、江木高遠（1850～1880年）の通訳を介して、大森貝塚についての講演をおこなっている。このあらましは当時の雑誌『なまいき新聞』に掲載されていて、これによると、モースの留守中に、松浦、佐々木の収集した資料を、再来日したモース自らが目を通したうえでの見解を知ることができるという。またその内容は、「天地創造の否定」で始まる論旨もさることながら「学問の正途と異途等々」の当てルビを駆使する工夫がなされている。ここでモースは、旧石器時代、新石器時代、青銅器時代、鉄器時代の区分を紹介して、大森貝塚が、新石器時代に属していることを説いている。

また、初めて食人の痕跡（出土した人骨化石に削痕があったが特定されていない）についても触れ、大森貝塚を残したのは、プレ・アイヌ、つまり、「アイヌ人に先立ってこの地に住んでいた人々である」と言及している。モースが、プレ・アイヌ説を掲げた根拠の一つは、大森貝塚には石器が乏しく、骨角器が多いと言う事実であった。大森貝塚の現在の時代見解は、縄文後期から晩期のものとされている。大森貝塚の調査で、モースの助手役を果たしながら、若くして世を去った松浦佐用彦の墓碑に「忠実な学徒、誠実な友、自然を愛する人、物質的な問題と同様に、精神的な問題に於いても、〝最後に判定を下すものは、訴えるべき最後の場所は権威にあらずして、観察と実験なり〟との信念を維持した。それこそ松浦君であった。エドワード・S・モース」と英語で記されている。動物学者としてのモースは、ダーウィンの進化論を根底に据え、学術探求に取り組んだのであると、研究者たちは評価している。

五　日本人研究者

さて、アフリカ大陸から遥か東方の島嶼国日本は、幕末明治維新という歴史的大変革の状況下に置かれていた。当然、争乱の最中で、島嶼の鎖国文化とは異なる西洋文明が洪水のように流入し、日本文化の特徴である精緻で魅力的な文化が流出していったのも、衆目を集める事実だ。モースは、三度目の訪日の際、アメリカ東洋美術史家アーネスト・フェノロサ（1853～1908年）、思想家・文人の岡倉天心（1863～1913年）の前で、次のように語ったという。

「多くの日本人の立派な美術品は、私たちが買っているものと同じく、今市場に出回っている。それは日本にとって、隠された傷口から滲み出る命取りの血液のようなものだ。日本人は、自分たちの美しい宝が日本人たちの国を去っていくことが、いかに悲しいことであるかに、気づいていない」と。

負の部分も背負った明治初期の日本国の学術界は、モース以降どう取り組んだのか、人類学会・考古学界の中心的役割を果たしたと思える人物を介して、その一端を垣間見ることにしよう。坪井正五郎（東大教授・1863～1913年）は、日本人類学の始祖と言われた人物である。幕府の侍医（じい）の子として生まれ、蘭方医の父坪井信良（つぼいのぶよし）からの大きな影響を受けて育つ。少年時代に友人と共に、モースの講演を聞いて啓発され、1884年（明治17年）、東京大学理学部生物学科の学生であった22歳の時に、今日の日本人類学会の前身にあたる人類学研究所を、同志を糾合して創立したのである。坪井正五郎は、モースやシーボルトによって提起された、石器時代土器（現、縄文土器）を製作した民族の問題に言及し、『人類学会報告』の創刊号（1886年、明治19年）

に、早々と「太古の土器と比べて貝塚と横穴の関係を述ぶ」と題する論文を発表して、縄文土器の製作者をアイヌ、エゾに比定している。同号に、同輩の渡瀬荘三郎が、「札幌近傍ピット其他古跡ノ事」を執筆し、坪井とは違ってコロポックル説（アイヌ語でフキの葉の下に住む人の意、アイヌ伝説に登場する矮人（わいじん））を主張している。その後坪井は、自説を撤回してコロポックル説を唱え、日本列島先住民とみて、アイヌに追われたとの説を主張した。このため、解剖学者小金井良精（こがねいよしきよ）のアイヌ説と対立している。こうして、坪井は、明治30年代になると、「恐れ多いことながら、皇族方の御席に於いても、人類学の上の御話を申し上げ、陛下の御前にてさえも、人類学上の御話しを申し上げることが出来るようになった。」と述べている。これらの事に関して、鳥居龍蔵は次のように論評をしている。

「権力側からの制約が厳然と存在していたにも関わらず、皇室関係者の人類学の講師に起用され、ジャーナリズムの寵児（ちょうじ）として、権力内に与えられた枠内で活躍できた。それは、坪井の民衆的性格とは裏腹に、現実離れしたコロポックル説に象徴されるように、坪井の人類学が既に学問のための学問、或いは、知識人の単なる教養科目に堕し、日本民族の淵源を、古代天皇制の成立との関係に於いて、科学的に解明する任務から、遊離しつつあったのではなかったか。国家権力の側からの不断の圧迫の下でのみ、社会的に定着し、存在を許されたのであった」と。大変手厳しい評価をされているようである。坪井正五郎は1913年（大正2年）に、旅先のロシアのサンクトペテルブルクで亡くなっている。その結果、坪井一人で持ちこたえていたコロポックル説は、坪井亡きあと、消滅していったと言われる。

次に人類学・考古学者鳥居龍蔵（1870～1953年、徳島県出身、東京帝国大学助教授、上智大学教授などを歴任）について触れてみたい。鳥居は明治・大正・昭和期にわたって人類学・考古学の調査研究を行い、日本及び、中国、シベリア、サハリンから南アメリカまで足跡を印している。1924年（大正13年）3月、『人類学雑誌』（第三十九巻第三号）に歴史教科書批判を展開している。それは記紀神話を以って、日本史の始まりとする当時の日本教科書に対する痛烈な批判であったという。

「文部省の歴史教科書は、最初に日本国の神話を掲げて、古事記や日本書紀にあるような神代紀を、極平易に書いて、始めとしている。此れは尤も、文部省令によって、出来たので有るから、元より斯くあるべき事である。しかし、今や国民の知識は進歩して、神話、伝説等を鵜呑みにして、そのまま信ずるようなことは、無くなっている。日本の初めに、アイヌが、古くから住んでいて、そこへ我々の祖先、つまり、固有日本人が来て、これを統一し、遂に日本の国を立てた。こういう事は、学者の研究の結果、明瞭になっていて、何人もこの事実を疑うものはないのであるが、今日行われているわが国の中学校の教科書に、そういう事は書いていない」と述べている。

　１９１７年（大正６年）に、日本では歴代の皇居が置かれた大和、山城、河内、和泉、摂津の五カ国則ち五畿内（畿内とは中国周代の古制、王城を中心とする四方五百里以内の特別行政区をいう）の遺跡を探査し、京都帝国大学考古学研究室の浜田耕作により、日本で初めて大阪府国府遺跡の本格的な発掘調査が行われた。

　また、「大和(やまと)」は始め、「倭(やまと)」と書いたが、奈良前期の女帝元明天皇（在位６６１～７２１年）は都を大和国の平城奈良に遷し、太安万侶(おおのやすまろ)等に『古事記』を撰(せん)じさせ、諸国に『風土記』を奉らせ、国名に二字を用いる事を定め、「倭」に通じる「和」に「大」を冠して、「大和（山処の意か）」とし、「大倭」とも書いたという。

六　先史日本列島発想の転換

　さて、21世紀の中において、青森県東津軽郡外ヶ浜町大平山元遺跡(おおだいやまもといせき)出土の無文土器破片、石鏃等によれば、ユーラシア大陸からの旅人ホモ・サピエンスが「縄文人」と呼ばれ、極東日本列島に定住したのは、約１万６千年前まで遡るという。

　それはそれとして、「弥生時代」と呼ばれる先史時代の日本列島約４００年間とも言われる通過線上で繰り広げられた、大陸東アジア中国、並びに朝鮮半島との人類交わりの中で、中国史書『三国史』に収められる通称

「魏志倭人伝」に、先史列島九州北部に存在した「倭国」との、かかわりに目を向けてみたい。

何年か前に入手した孫栄健著『邪馬台国の全解決――中国「正史」がすべてを解いていた』の序文の中で、倭国後代の「魏志倭人伝」は、『古事記』『日本書紀』に一部引用がなされ、また、江戸中期の政治家新井白石（朱子学・新儒教学者）、本居宣長（国学四大人の一人）を始めとして、近・現代の研究者により述べられてきたが、未だに定まっていないというのだ。また魏志は「春秋の筆法で著述されている」という。そして、中国西晋の歴史家陳寿が編纂している正史『三国志』「魏志」の中に取り上げられている倭人伝（一九八五字）を解析する必要があるという。またこうも述べられている。「『筆法』や『春秋学』といっても、東洋史に詳しくない人には全然ピンとこないだろう。かなり詳しい人でもその細部については『春秋』三伝をある程度は勉強していないと、理解できないだろう」と。

そこで浅学菲才な私は詳しくない部類に相当するのではと思い、学習に挑戦しようという思いで手始めに、この書の巻末に載せてある「倭人傳」の原文に、平安時代初期、万葉仮名草の仮名をさらに崩して作った日本国固有の音節文字（諸説あり）のルビを施した。なお、字音は漢音（広辞苑を参照）を用いた。

倭人傳

倭人在帯方東南大海之中依山㠀爲國邑舊百餘國漢時有朝見者今使譯所通三十國從郡至倭循海岸水行歴韓國乍南乍東到其北岸狗邪韓國七千餘里始度一海千餘里至對海國其大官曰卑狗副曰卑奴母離所居絶㠀方可四百餘里土地山險多深林道路如禽鹿徑有千餘戸無良田食海物自活乗船南北市糴又南渡一海千餘里名曰瀚海至一大國官亦曰卑狗副曰卑奴母離方可三百里多竹木叢林有三千許家差有田地耕田猶不足食亦南北市糴又渡一海千餘里至末盧國有四千餘戸濱山海居草木茂盛行不見前人好捕魚鰒水無深淺皆沈没取之東南陸行五百里到伊都國官曰爾支副曰泄謨觚柄渠觚有千餘戸世有王皆統屬女王國郡使往來常

所駐 東南至奴國百里官曰兕馬觚副曰卑奴母離有二萬餘戸東行至不彌國百里官曰多模副曰卑奴母離有千餘家南至投馬國水行二十日官曰彌彌副曰彌彌那利可五萬餘戸南至邪馬壹國女王之所都水行十日陸行一月官有伊支馬次曰彌馬升 次曰彌馬獲支次曰奴佳鞮可七萬餘戸自女王國以北其戸數道里可得略 載其餘旁國遠絶不可得詳 次有斯馬國次有己百支國次有伊邪國次有都支國次有彌奴國次有好古都國次有不呼國次有姐奴國次有對蘇國次有蘇奴國次有呼邑國次有華奴蘇奴國次有鬼國次有爲吾國次有鬼奴國次有邪馬國次有躬臣國次有巴利國次有支惟國次有烏奴國次有奴國此女王境 界所盡其南有狗奴國男子爲王其官有狗古智卑狗不屬 女王自郡至女王國萬二千餘里男子無大小皆黥面文身自古以來其使詣 中國皆自稱 大夫夏后少康之子封於會稽斷髪文身以避蛟 龍之害今倭水人好沈没捕魚蛤文身亦以厭大魚水禽後稍以為 飾 諸国文身各異或左或右或大或 小 尊卑有差計其道里當在會稽東治之

東其風俗 不淫男子皆露紒以木緜 招 頭其衣横幅但結 束相連 略 無縫婦人被髪屈紒作衣如單被穿其 中 央貫頭衣之種 禾稻紵麻蠶桑 緝績出 細紵縑緜其地無 牛 馬虎豹羊鵲 兵 用矛 楯 木弓木弓短下長 上 竹箭或鐵鏃或骨鏃所有無與儋耳朱崖同倭地温暖冬夏食 生菜皆徒跣有屋室父母兄弟臥息 異處以朱丹塗其身體如 中 國用粉也 食 飲用籩豆手 食 其死有棺無槨封土作冢始死停喪 十 餘日當時不食 肉喪主哭 泣 他人 就 歌舞飲酒已葬擧家詣水 中 澡浴以如練沐其行來渡海詣 中 國恒使 一 人不梳頭不去蟣蝨衣服垢汚不 食 肉 不近婦人如喪人名之爲持衰 若 行者吉善共 顧其生口財物 若 有疾病遭暴害便欲殺之謂其持衰不謹出 真珠青 玉 其山有丹其木有枏杼豫樟 楺 櫪投 橿 烏號楓香其竹篠簳桃支有薑橘 椒 蘘 荷不知以爲滋味有獮猴黒雉其俗擧事行來有所云爲 輒 灼 骨而卜以占吉 凶 先告所卜其辭如令亀法視火坼占 兆 其會同坐起父子男女無別人性嗜酒魏 略 曰其俗 不知正歳四節但計 春 耕 秋 收爲年紀

見大人所敬但搏手以當跪拜其人壽考或百年或八九十年其俗國大人皆四五婦下戸或二三婦婦人不淫不妬忌不盜竊少諍訟其犯法輕者沒其妻子重者沒其門戸及宗族尊卑各有差序足相臣服収租賦有邸閣國國有市交易有無使大倭監之自女王國以北特置一大率檢察諸國畏憚之常治伊都國於國中有如刺史王遣使詣京都帯方郡諸韓國及郡使倭國皆臨津捜露傳送文書賜遺之物詣女王不得差錯下戸與大人相逢道路逡巡入草傳辭説事或蹲或跪兩手據地爲之恭敬對應聲曰噫比如然諾其國本亦以男子爲王住七八十年倭國亂相攻伐歴年乃共立一女子爲王名曰卑彌呼事鬼道能惑衆年已長大無夫壻有男弟佐治國自爲王以來少有見者以婢千人自侍唯有男子一人給飲食傳辭出入居處宮室樓觀城柵嚴設常有人持兵守衛女王國東渡海千餘里復有國皆倭種又有侏儒國在其南人長三四尺去女王四千餘里又有裸國黒齒國復在其東南船行一年可至參問倭地絶在海中洲島之上或絶或連周旋可五千餘里景初二年六月倭女王遣大夫難升米等詣郡求詣天子朝獻太守劉夏遣吏將送詣京都其年十二月詔書報倭女王曰制詔親魏倭王卑彌呼帯方太守劉夏遣使送汝大夫難升米次使都市牛利奉汝所獻男生口四人女生口六人斑布二匹二丈以到汝所在踰遠乃遣使貢獻是汝之忠孝我甚哀汝今以汝爲親魏倭王假金印紫綬裝封付帯方太守假授汝其綏撫種人勉爲孝順汝來使難升米牛利渉遠道路勤勞今以難升米爲率善中郎將牛利爲率善校尉假銀印青綬引見勞賜遣還今以絳地交龍錦五匹臣松之以爲地應爲綈漢文帝著皁衣謂之弋綈是也此字不體非魏朝之失則傳寫者誤也絳地縐粟罽十張蒨絳五十匹紺青五十匹荅汝所獻貢直又特賜汝紺地句丈錦三匹細班華罽五張白絹五十匹金八兩五尺刀二口銅鏡百枚真珠鉛丹各五十斤皆裝封付難升米牛利還到録受悉可以示汝國中人使知國家哀汝故鄭重賜汝好物也正始元年太守弓遵遣建中校尉梯儁等奉詔書印綬詣倭國拜假倭王并齎

詔賜金帛錦罽刀鏡采物倭王因使上表荅謝詔恩其四年倭王復遣使大夫伊聲耆掖邪狗等八人上獻生口倭錦絳青縑緜衣帛布丹木弣短弓矢掖邪狗等壹拜率善中郎將印綬其六年詔賜倭難升米黄幢付郡假授其八年太守王頎到官倭女王卑彌呼與狗奴國男王卑彌弓呼素不和遣倭載斯烏越等詣郡説相攻撃狀遣塞曹掾史張政等因齎詔書黄幢拜假難升米爲檄告喩之卑彌呼以死大作冢徑百餘歩徇葬者奴婢百餘人更立男王國中不服更相誅殺當時殺千餘人復立卑彌呼宗女壹與年十三爲王國中遂定政等以檄告喩壹與壹與遣倭大夫率善中郎將掖邪狗等二十人送政等還因詣臺獻上男女生口三十人貢白珠五千孔青大句珠二枚異文雜錦二十匹

なお、何故か当版本は「卑・魏・婢・鬼」の文字構成にノ部が無く田部で構成され、「詣」も別部の文字が使用されている。この部分のことを理解するためには、膨大な量の資料からなる『説文解字』（後漢の許慎〈58～148年〉の作、和帝の永元12年に成立し、建光元年に許慎の子・許沖が安帝に奉った）と、既に原本が無く複雑な作成過程を持つとされる当版本についても触れなければならず、ここでは割愛させて頂く。なおこの事は、『邪馬台国の全解決』の書中においても孫氏は触れていない。

そこで、『邪馬台国の全解決』の中から、私が通読して新鮮に感じた箇所、「序章（p3～6）」と「第一章　魏志の再発見へ　一．中国史書とその論理の特徴　弥生後期の日本列島（p13～20）」の中から抜粋引用、並びに以降はピンポイント的抜粋引用にて、話を進めさせて頂くことをお許し願いたい。

さて、当時倭国は文字を持たない国であり、語音を主として生活をし、また魏国の語音も、漢音、呉音が入り交じり、語意も声調も異なり、恐らく魏国側との交流交渉は困難の連続であったと推察できる。特に、「女王卑彌呼」との意思疎通、実務交渉は、「倭人傳」の文面を見る限り、男弟・難升米のみの通訳となっており、込み入った問題は困難を伴ったに違いない。よってこの事を理解する参考資料の一助として、倭語の基本となる五十音（成り立ちには諸説あり）、濁音、半濁音、拗音（ようおん）、促音を列記してみたい。

あいうえお・かきくけこ・さしすせそ・たちつてと・なにぬねの・はひふへほ・まみむめも・やゐゆゑよ・らりるれろ・わゐうゑをん・がぎぐげご・ざじずぜぞ・だぢづでど・ばびぶべぼ・ぱぴぷぺぽ・きゃきゅきょ・しゃしゅしょ・ちゃちゅちょ・にゃにゅにょ・ひゃひゅひょ・みゃみゅみょ・りゃりゅりょ・ぎゃぎゅぎょ・じゃじゅじょ・ぢゃぢゅぢょ・びゃびゅびょ

これら五十音と漢字漢音を比較しつつ、それぞれの文化を、脳裏に思い浮かべながら、「魏志倭人伝」を試行錯誤すると、これまた、違った景色が、見えてくるのではなかろうか。

孫氏によると倭国後代の「魏志倭人伝」は、『古事記』、『日本書紀』に記載されている一部引用文や、江戸時代中期の政治家新井白石（朱子学・新儒教学者、1657～1725年）、国学四大人の一人本居宣長（1730～1801年）を始め、近世～現代の研究者により述べられてきたが、いまだ定まっていないという。因みに『三国志』を構成する文字数は、魏志20万7000、呉志10万3000、蜀志5万7000だ。

そこで私は、「孫氏が取り上げる「春秋の筆法」は中国史書の解明の鍵であると発見！」という新鮮と思える発想の転換に同感する立場から、他研究者諸氏の力もお借りして、同様に司馬遷の著書である『史記』、並びに中国通史に、少々触れる事としたい。それは何故か！「春秋の筆法」は、突如出現したとは思えないし、孫氏の所謂（いわゆる）「春秋の筆法を理解することは非常に難しい」との言葉の門に突入出来るヒントを摑めるかもしれないと思えるからである。

七　司馬遷の略歴

司馬遷（前145～前86年頃）は中国夏陽県竜門・現在の陝西省韓城の生れ。『史記』（全130巻、本紀（ほんぎ）・

表・書・世家・列伝からなる紀伝体。伝説上の黄帝～武帝までの通史を扱う）の著者である。父は司馬談（前165～前110年頃）で夏陽県竜門の生れ。『論六家要旨』の著者。司馬遷は父のもとで幼少の頃より学者としての訓練を施され、10歳の時には古文を暗唱した。古文とは『春秋左氏伝』（魯国の史書に注を加えたもの）や『国語』（春秋時代の各国の記録を集めた書）のような書物のことを指す。首都長安で当時の大学者、董仲舒（前漢の儒学者・『春秋』学者。広川の生れ。儒学の思想を国家教学とすることを献策した人物。前179～前104年）から『春秋公羊伝』を中心とする儒学を学んでいる。司馬談は記録官である太史令であった。司馬遷は20歳のときに、父司馬談の命令で長江のあたりを旅行した。目的はこれらの地方に散在する戦国諸侯の記録を収集することだったという。しかし、この目的以上に、文献上で読んだ場所に実際に赴き、その土地の雰囲気を体で感じたことは、若い司馬遷にとって大きな刺激になったに違いない。旅行を終えた後、朗中（官名）として武帝に仕えることになる。このときに四川省付近に派遣され、新しく漢帝国の板図に収録されている地域を見回った。この旅行から帰ると、父司馬談は床に臥しており、これが父子の最後の対面となった。父は、司馬家が先祖以来、文籍を司っていたという矜持を持ち続けていることを伝え、その遺志を継いでほしいと息子に語った。そして司馬遷は父の遺志を心に刻み込んだのである。

武帝の時代、漢帝国は北方の異民族である匈奴に対するそれまでの懐柔策を改め、強硬策に出た。衛青や霍去病などの将軍が次々と戦果をあげ、一気に優位な立場に立った。さらに天漢2年（前99年）、李広利を将軍として匈奴征伐に向かわせた。そのときの別動隊として派遣されたのが、李陵である。この遠征では李広利の本隊は敵を発見することができず、逆に李陵の別動隊が匈奴の収首領である冒頓単于率いる本隊と遭遇した。李陵は善戦したものの、矢尽き刀折れて、ついには捕虜となった。武帝は激怒し、群臣たちも李陵の罪を問うべきとの意見が大半を占めた。しかし司馬遷は李陵が善戦したことを主張し、最後まで戦ったのは賞賛すべきだという意見を述べた。これが武帝の怒りを買うことになったという。李陵の戦功を称揚することは、すなわち功績がなかった李広利を暗に批判するものととられたのである。李広利は武帝が寵愛する李夫人の兄であった。司馬遷は皇帝誣告の反逆罪に問われ、死刑が確定した。

この時代、死刑を逃れる方法が二つあった。一つは50万銭を積んで死一等を減じてもらうこと、もう一つは宮刑を受けて宦官となることである。宮刑とは去勢する刑罰であり、去勢されて宮仕えをする者を宦官と呼んだ。死刑の次に厳しい刑罰とされ、子孫を残せず、またホルモンバランスが崩れることからひげも生えず、太って声が高くなると言われている。このような理由もあって、一般の人々からも人間扱いされない酷い扱いを受けるものであった。当時、司馬遷の家には50万銭という財産はなく、友人縁者たちも重罪と知って、誰も金を貸してはくれなかった。司馬遷には死を選ぶか、宮刑を選んで生き恥をさらすかの選択しかなかったのである。

父との約束を果たすため、司馬遷は甘んじて宮刑を受け、残された生命をひたすら『史記』の著述のために命を燃やし続けた。それは国のため、漢王朝のためではなかった。自身の胸中にある信念を、自分の生きる証として書いた。これが『史記』であるという。司馬遷が心血を注ぎ編纂された『太史交書』（『史記』）。52万6500字、正史の第一、24史の一つ）は完成した後、最初は司馬遷の娘に託されたが、武帝の逆鱗に触れるような記述があったため、隠されることになったのである。そして武帝の二代後の宣帝（前漢の第十代皇帝。武帝の曾孫、前91〜前49年）の代になってから、司馬遷の外孫楊惲（丞相楊敞の子、?〜前54年）が広めたとされている。司馬遷は死んだが、『史記』は古典として、その名を歴史に刻んでいる。

八　神話時代に触れる

『史記』の冒頭を飾るのは所謂神話時代の五帝について書かれた「五帝本紀」である。「黄帝・顓頊・帝嚳・帝尭・帝舜」が載る。次は兎と夏王朝の経緯が記された「夏本紀」である。この中に、尭は鯀という人物に命じて治水にあたらせたとある。鯀は息壌と呼ばれる増える土を使って洪水を止めようとしたが、9年たっても成果をあげられず、責任を追及されて羽山（うざん）で誅殺（ちゅうさつ）された。伝説では鯀の死体は3年間腐らず、刀でその腹を裂くと禹（う）が生まれた。

鯀の治水事業を引き継いだのがその息子の禹である。父の失敗の後を受けたので再度の失敗は許されず、必死で工事に取り組んだ。この間13年、節約に努めその浮いた金を全て治水工事に投入した。また歩きすぎて足を悪くしたという逸話も残っている。禹の姿を描いた図を見ると、左手に縄、右手に定規を持ち、常に仕事をしているようである。河南省禹州の町の交差点の中央にこの銅像が立っている。また禹州のいたるところに、モニュメントが存在している。禹は九州を開き、九道を通じ、九山を渡れるようにしたと「夏本紀」に記される。舜（しゅん）が崩御したとき、禹は推戴されて後継者となったが、始めは舜の子の商均に位を譲った。しかし、天下の諸侯がみな商均のもとを離れて禹のところに来たため、正式に天子に即位し天下を導いた。

禹が亡くなった後は、子の啓が跡を継ぎ、これ以降、天子の位が代々世襲されることとなり、五帝時代は終結する。禹から始まる時代を夏王朝と言い、『史記』には「夏本紀」として収録されている。夏王朝は第十七代目の桀王の時に滅亡する。『史記』の夏本紀の記述によれば、桀は徳を修めず、百官を殺傷したので、湯（とう）という人物を中心とした諸侯軍が背き、桀は放逐されそこで死んだ。そして湯が新しく天子に即位し、夏に代わって殷（いん）の時代となる。このような王朝交代の形式を放伐（ほうばつ）と言い、禅譲（ぜんじょう）と対になっている。放伐とは武力によって王を追放することであり、禅譲とは前任者が有徳者に位を譲る平和的な方法である。尭から舜、舜から禹への政権交代は禅譲であり、夏から殷、殷から周への政権交代は放伐ということになる。後の時代、前漢を滅ぼした王莽（おうもう）や、後漢を滅ぼした曹丕（そうひ）などは、事実上の簒奪（さんだつ）でありながらも禅譲の形式をとっている。

司馬遷の時代には、まだ三皇（さんこう）伝説も盤古（ばんこ）伝説も存在していなかったのかもしれないという。後の唐代に、『史記索隠（しきさくいん）』を著した司馬貞（てい）という人物が「三皇本紀」を書いて『史記』に加えている。だがこれは正当な史記文章とは認められていない。

さて、五帝本紀の冒頭に記述されている黄帝は、古代中国の伝説上の君主である。「三皇」とは狩猟を始めた伏義、農耕を始めた神農、火食を始めた燧人の三神を指すが、それは諸書によって一定ではない。燧人ではなく、楽器を作った女媧を挙げることも多い。女媧は中国を統治した最初の帝とされている。本来は「皇帝」と表記されたが、戦国時代末期に五行思想の影響で「黄帝」と表記されるようになったという。現在これらは実在の人物とは考えられていないという。

　次は夏王朝と殷についてである。夏（前2070頃～前1600年頃）は史書に記された中国最古の王朝と言われる。夏は桀の代に殷の湯王に滅ぼされたと記録されている。『史記』では三皇五帝に次いで禹が建国したと伝え、殷に滅ぼされたとされていた。その実在は疑われていたが、中国では実在した王朝として公認されている。日本の学会では、青銅器文化の二里頭文化の時期に相当するが、殷王朝を最古の王朝としているという。

九　中国先史と有史の狭間

『史記』「殷本紀」によれば、この夏王朝の桀王を倒したのが湯を中心とした諸侯軍であり、この湯が殷王朝の始祖とされている。

「殷墟」は中国河南省安陽市小屯村に存在する殷王朝の王の地下墓坑の遺跡である。

　この地は紀元前14世紀の殷王第十九代の盤庚（『竹書紀年』〈281年、河南省汲県にある魏の襄王の墓から発掘された記録〉による）から第三十代の最後の紂王まで、後期殷王朝の都であった。殷時代には商、または大邑商といわれていた。

　殷の遺跡殷墟の発見の経緯は不明であるが、金石学者であった王懿栄が、1899年に北京市内の漢方薬店で購入した龍骨（漢方薬の材料）に甲骨文字を発見したことがきっかけといわれる。甲骨文字の彫られた獣骨の出土地と知られていた地は、1928年から発掘が開始された。1937年の日中戦争の開始で中断したが、1950年に中華人民共和国の考古研究所が発掘を再開し、殷王朝の遺跡、遺物が出土した。その特色は、甲骨文字が彫られた獣骨、青銅器類が多数出土したことと、巨大な地下墓壙で殉死者とみられる王墓の発見である。

殷墟で発見された殷王の王墓とみられる巨大な地下墓坑は十数か所に及ぶ。それらの王墓からは、青銅器と甲骨文字が印された獣骨と共に、多数の首のない人骨が見つかっている。墓の正室は長方形で南北18・9m、東西13・75m、東西に幅3・8mの耳室がある。深さは10・5m。四方に階段状の墓道がついている。王の棺は中央の槨室の中に収められている。大量の人骨は奴隷社会の証拠であるとされていたが、最近の研究では、祭祀の犠牲となった人骨であるとの見方が有力となっている。

また、私が殷墟遺跡の存在を知って強く関心を抱いたのは、婦好墓の存在である。殷墟婦好墓は、文化大革命が終わる1976年に発見されている。小屯村の西北の未盗掘の大型墓で、副葬品として大量の青銅器や玉器が出土した。その青銅器の銘文から婦好という女性の墓だと判明した。婦好は武丁の妻であるが、『史記』などの伝世文献には婦好の記録はないという。甲骨文を中心とする「商代・殷代」の文字資料のみに、存在が確認できるというのだ。

彼女は王室の祭祀や庶務に従事する他、王に命じられ人を集めて従軍していたことが判った。このように、殷王の軍隊を殷王の妃が率いて出征していることが青銅器の甲骨文で判明したことは、研究者を、驚かせた。

また甲骨文の研究によって、司馬遷の『史記』に記載された殷王室の世系と、甲骨文の世系がほぼ一致し、しかも甲骨の年代が、22代武丁から30代帝辛の時代にあたることが判明した。

「殷本紀」では「武丁、政を修め、徳を行う。天下咸驩、殷の道復興る武丁崩じ、子の帝祖庚立つ。」(原文「武丁、祖己編集帝小乙崩、子帝武丁立。帝武丁即位、思復興殷、而未得其佐。三年不言、政事決定於冢宰、以觀國風。」)と記載されている。

さて、婦好墓は殷墟で唯一保存状態の良い殷王朝の王室の墓である。墓の長さは5m以上、深さは7m以上ある。墓の殉死者は16人、出土品の文物は1928件、骨器が564件、多くの装飾品類、他7000個程の海貝も掘り出された。婦好墓の地上には方形の建築物、祠堂（祖先の神や先人を祀る社）とおぼしき遺址が見つかっている。また、車馬坑には馬車と共に多くの馬の殉葬も発見されている。その多くが戦闘に使用されたと思われる。

婦好は戦闘にも進んで参加したというが、戦闘と言えば男の集団というのが古今東西の相場である。しかも婦好は王妃でもある。想像するに周囲には十人程度の女官も同行していたに違いない。男性兵士たちは相当に気を使い戦場で戦っていたのではなかろうか。しかも婦好王妃は、大将軍の如く勇猛果敢とのこと。きっと馬車も縦横無尽に乗りこなしていたのだ。家来の兵士の姿が目に浮かぶ。敵地にも乗り込んで行ったというが、命に及ぶ危険な状態にさらされたことも一度や二度ではなかった事だろう。読者の方々も想像してみたらいかがだろうか。

さて、夫、武丁（廟号高宗。父小乙、子祖己・祖庚・祖甲。卜辞ではこの順に即位したとされるが、史記などでは、祖己は即位してないことになっている）のプロフィールは『史記』「殷本紀」によると大要次の通り。

太子時代の武丁は賢人の甘盤の指南で学問を修めている。盤庚の代以降に衰えた殷を復興させようと考えていたが、補佐する者がいなかったため、即位して3年間は自ら政治に口を出さなかった。ある夜に説という名の聖人の夢を見たが、群臣の中にはそのような人物はいなかった。そこで、方々に人を遣わして人物を探させると、道を作る労役者の中に求めていた人物がいた。武丁が会って話してみると、真に聖人であったので、傳という名前を与え、傳説と呼んだ。傳説の補佐で殷は復興した。

このことから想うに、武丁自身は、聖人を越える存在として描かれている。また察するに、婦好の容姿は絶世の美女ではないが、肝っ玉母さんのような逞しい、知性に溢れしかも情の深い、正に冷静沈着な武丁が本音を曝け出す事が出来る、信じるに足る打って付けの人物であったと思える。全て人で決まるのである。民に善政を施し、武丁は中興の祖（一旦衰えた殷を再び盛り返す）と謳われたのも、婦好の支え大なりである。

そこで、司馬遷は何故、女性とは言えこれほどの人物を取り上げなかったのかという疑問が生じる。司馬遷を語るほとんどの研究者諸氏がこのことには触れていない様だ。やはり「考古・史学」の世界は男性の独壇場なのか、司馬遷も『史記』に多くの女性を登場させているが、悲劇や退廃的なストーリーの中に登場させているようである。

十　『史記』の中の女性

司馬遷『史記』の研究家・書家の吉岡泰山氏は、史記の魅力にとりつかれ、130巻、総字数52万を超す原文を毛筆で繰り返し書き写してきたという。彼は中国・司馬遷史記博物館（2016年開館）の顧問も務めており、著書に『毒舌と名言の人間学』『史記を書く』がある。吉岡氏は、捨て子から王妃になった「笑わぬ美女」、褒姒を取り上げ紹介している。このあらすじは次の通り。

司馬遷の生きた時代を遡ること600年余り。周王朝の幽王は、後宮で見かけた女性に心を奪われる。それが元で身を滅ぼし、周王朝は大きく衰退することになるのであるが、その経緯には謎のエピソードばかり登場するという。

周の前々代の夏王朝（神話時代）の時。褒という小国の君主だった2匹の神竜が王宮に現れ、竜は精気のこもった泡を残して消えたが、泡の処置に困った夏王朝は、それを器に入れて保存したという。器は封印されたまま、夏から殷に引き継がれ、更に周に伝わったとされている。周第十代の厲王が、この器の封を解いた（厲王は自身の圧政の結果、国外に逃亡した人物）。開けた器から流れ出した泡は、トカゲに姿を変え、後宮に入り込む。後宮にいたある童女がトカゲに遭遇した結果、15歳で夫もいないまま女児を産む。しかしその子は気味悪がられ、道に捨てられてしまったという。

このことについて、吉岡氏は、「まるでギリシャ神話に出てくる、災いを封じ込めた『パンドラの箱』のような話です。神竜がなぜ現れたのか、なぜ厲王が封印を解いたのか、史記には書かれていません。司馬遷は周の史官、伯陽甫が残した記録を参考にして、この伝説を書いていると思われるのですが、ひとつひとつの出来事の理由についてはふれられていないことが多く、司馬遷もわからなかったようです。さすがに、すべて史実と信じることもなかったと思います。それでも、そうした伝承を軽視できないと考えていたのは間違いないでしょう。そして何よりも、強く興味をひかれるものがあったのだろうという気がしてなりません。云々。」と述べている。

私は、概ね他の研究者の方々も吉岡氏と同様な捉え方をしているのではなかろうかと思う次第である。そこで、自身の記憶の中に保存している知識を引きずり出してみる。司馬遷の教育面での恵まれた体験と、遺言である父の矜持、司馬遷自身の宮刑という死に値する想像を絶する意志をベースとして考察してみたい。

彼が殷の歴史を研究踏査中において、婦好という名を直接耳にしなかったかもしれないが、しかし中興の祖と言われた武丁の妻であり、武丁を支えた大将軍のような人物であるのに、婦好だけが歴史書である筈の『史記』から忽然と抜け落ちていることが不自然に思えてならない。まして、実在した人物なのである。筋道が通らない。「列伝」の中に加えられていてもおかしくない案件だ。となると、知りえていながら故意に外した可能性がありはしないか。もしこの推測が当たらずとも遠からずの範囲であるならば、彼は『史記』編集段階において、重大な問題に突き当たったに違いない。

国政を乱すのは女性絡みのことも多く、『史記』の中においても直接、間接的にも多く取り上げられている。彼が宮刑を受けたのも、武帝が寵愛した衛（えい）皇后絡みの事件だ。しかし、婦好の場合は当てはまらない。知れば知るほど婦好を手本とした筋道を記述しなければならない。神話のように描くことはできない。いずれにしても、婦好については耳にした内容が女性にしてはあまりにも激烈であり、真か嘘か具体的な資料があまりにも少なすぎたのではなかろうか。または女性であるので軽視した可能性は捨てきれない。故に司馬遷は婦好を歴史上の舞台から外すことにした。21世紀の現代においても、国際的に女性登用問題が取り沙汰されている。まして、殷の時代に女性が縦横無尽に活躍することなど、及びもつかない出来事だったのである。『史記』に加えた場合下手をしたら司馬遷自身が立場上歴史舞台から消滅してしまう可能性も大いにありえたのではなかろうか。更に深掘すれば、現代の悩める我々に対して、司馬遷が残してくれた謎の置き土産であると思えてならない。

考古学上に婦好の実在が証明された以上、その価値的存在意義を世界のテーブルの上に載せて、老若男女問わず権威権力者の方々も自尊心をかなぐり捨てて、勇気を絞り出し民衆の側に立つ議論を大いに展開させるべきではないかと提案したい。どうであろうか!!

十一　西周の勃興と消滅

周は黄河の支流渭水流域にあった邑（集落）の一つで、始め殷の支配を受けていたが、文王の時に宰相太公望などの補佐を受け有力となり、牧野の戦い以降、華北一帯を支配した。都は渭水流域の鎬京（宗周ともいう）に置いたが、殷を滅ぼして中原一帯を支配してからは、中元統治の便を考慮し、河南省の洛陽（かつての洛邑、或いは西周といわれた）を副都とした。

この殷王朝と周王朝への交代劇についてのエピソードがある。司馬遷の『史記』列伝の冒頭に取り上げられて有名になった「不食周粟」である。「道に反する主君には仕えない」との意味だ。武王の家臣の伯夷と叔斉は武王の行く手をさえぎり、「父君が亡くなられ、葬儀も済まさずに戦争をすることは孝行の道に外れます。臣下の身で主君（紂王）を征伐するのは仁義に悖ります」と制止したが、しかし武王は制止を振り切り、軍勢を動かし紂王を討って殷を滅亡させ、周王朝を建てた。伯夷と叔斉は「周の粟は食まず」との言葉を残し、首陽山に引きこもり、蕨を採って飢えをしのいだが、遂に餓死をしてしまった。文王、武王に続き成王の時には、王位継承権をめぐり反乱が起こったが、武王の兄弟の周公が成王を補佐して、乱を鎮め、支配を安定化させている。周は殷時代の卜占による神権政治を脱し、王の一族や有力な臣下を諸侯として各地に領土と人民を封土（諸侯の領土・祭壇に盛った土）として与え、国を建てさせることによって、支配の安定策を図った。つまり封候建国を略して封建という。儀礼を重視したこの制度で周は長期にわたり、政権を維持したのである。後の孔子、儒家の思想家はこの周の時代を「礼」の理想で統治された理想的な時代と捉えている。

周王が封じた諸国には、周公の魯、太公望で始まる斉、他に周王の一族の召公が燕、唐叔虞が晋、康叔が衛（殷の故地）を建国するなど、周王室と血縁関係をもつものが多かった。他に五帝や夏、殷の王の後裔を名乗る地方の有力者が、諸侯として次々と国を建てた。彼らは、周王を宗主と仰ぎ、周王から、公・侯・伯・子・男という爵位を授けられ、秩序立てられていた。楚や秦はその例で五帝の一人顓頊の後裔と称している。しかし、東周の時代になると、これらの黄河流域の中原以外に有力な勢力が台頭し、彼らは周王室と関係ないことから、爵位にとらわれず堂々と王を名乗った。江南地方に興った呉や越は最初から王号を称した。

ここでちょっと、封建制度についてタイムスリップしよう。日本、特に昭和の時代までは、封建という言葉は封建的という熟語で日常生活の場で飛び交い使われていたような気がする。興奮してつい頭ごなしに物言いをした時など、相手側から発せられていたように思う（封建時代じゃないよとか頭が固いとか）。それは、どうも日本人が通過してきた、払拭することができない制度に起因するような気がするが私だけであろうか。それは就中徳川幕府の諸制度の中に存在していたのではなかろうか。鎖国制度などはその代表的なものだろう。武家諸法度・大奥・外様と譜代・参勤交代・武士道・切腹・士農工商・年貢米・直訴・御上・取り立て・三猿（見ざる聞かざる言わざる）等々、枚挙にいとまがない。どうもこの文化に大きく影響を与えたのが、儒学の一派朱子学の「藤原惺窩、貝原益軒、林羅山、木下順庵、新井白石等」ということなのだ。それも権力機構に都合のいい解釈で取り入れたらしい。上下関係を大切にする学問として、服従という言葉を理解させるために。しかしそれは結局、２７０年間という幕藩体制の流れの中において、自ら真綿で首を締めていくようなこととなり、結果、儒学から国家神道に名を変えた「御代」は文明開化の名のもとに冨国強兵の道に引きずり込まれた。軍部主導により第二次世界大戦への道にのめり込んだ日本列島は、人類自身が持ち合わせている魔性の働きが、二発の「原子爆弾」となり、列島上空で人類自身の意志により投下し炸裂させ、悲惨な地獄絵図が現実となり、多数の民が権威権力者のエゴの生け贄となったのだ。だが、多くの世界人類が犠牲となったこの大戦が終わり、何十年も経過したにもかかわらず、21世紀の今もなおその恐怖は世界中に残るままなのだ。一体誰の仕業だというのだ。その正体は人類自身のエゴの中から生まれ出たものだから、これまた全ての人類に内在する英知を根本にした対話行動しかないと思っている。紙面の都合上多くを語ることができない。どうぞ読者の皆様方自身の鏡と向き合ってみてください。きっと答えがある筈ですよ！

十二　春秋戦国時代の様相

　前述したが、前７７０年から秦の始皇帝によって周王が滅ぼされる前２５６年までは、洛陽に周王室が存在した東周時代である。その実態は、周王権の影響力の衰えが次第に進行していく中にあって、地方の有力諸侯が自立してそれぞれが王と称して争う分裂期であった。その前半期にはまだ周王の権威が残っており、周王を立て、或いは利用しようとする時代だったが、周王は全く有名無実化し各国でも下剋上が進み、中国は有力な七国（戦国の七雄）に分割されることとなる。その前半を春秋時代と言い、その後半の前２２１年の秦の始皇帝による中国統一までを戦国時代と呼ぶ。

　さて本書執筆は「春秋の筆法」の登竜門への突破口とする目的で記述してきたのであるが、ここで『春秋』の著者孔子の出自、人物、思想等について述べてみたい。

　孔子は中国史上もっとも有名な思想家であり、世界の「四聖」（釈尊・キリスト・孔子・ソクラテス）と呼ばれ、中国を代表する人物のひとりである。孔子〈前５５１年～前４７９年〉は魯の昌平郷陬邑（現在の山東省曲阜の東南）出身。生まれたとき、頭の中央がくぼんでおり、尼丘という山に似ていたことから諱（いみな）は丘と名付けられた。字（あざな）は仲尼（ちゅうじ）である。父親は武人の叔梁紇（しゅくりょうこつ）、母親は身分の低い巫女で名は顔徴在（がんちょうざい）、孔子は父親が70代、母親が16歳の時に生まれている。母親は正妻ではない。３歳の時父親が亡くなり、貧しい家庭環境の中、14歳から学問を志すが、17歳の時母親も亡くなり孤児となってしまう。

　孔子の出身地である山東省は高身長の人が多いが、身長が216cmもありかなりの高身長であったので「長人」と呼ばれていたという（『史記』孔子世家）。容姿について荘子（中国戦国時代の宋の蒙出身の思想家、道教の始祖とされている人物の一人。前369頃〜前286年頃）は、上半身長く、下半身短く、背中曲がり、耳は後ろのほうについていたという（『荘子』外物篇）。また食について、飯は十分に精米されている米や、膾（冷肉を細かく切った物）などを好み、煮込み過ぎや型くずれしたものは食べなかった。切り口が雑な食べ物や、味付けが適切でなければ食べなかった等、飲食に強いこだわりを持っていたという。

当時の周末期では、有力な諸侯国が領域国家の形成へと向かい、人口の流動化と実力主義が横行して、旧来の都市国家の氏族共同体を基礎とする身分制秩序が解体されつつあったが、そんな時代の最中、魯国に生まれ、少々わがままと思われる性格であった彼は、周の復興を理想として、身分制秩序の再編と人道政治を掲げた。

孔子の弟子たちは孔子の思想を奉じて教団を作り、戦国時代、儒家となって諸子百家の一家をなした。孔子の死後約400年をかけて、孔子の教えをまとめ、弟子たちが編纂したのが『論語』である。

また、『春秋』は単なる歴史書ではなく、孔子が作成に関与した思想書であるとされ、儒教経典（五経——『春秋』のほかに易、書、詩、礼「儀礼／周礼」、がある——または六経）の一つ『春秋経』として重視される。『春秋』が読まれる際は必ず、三つの伝承流派による注釈、春秋三伝『春秋左氏伝』『春秋公羊伝』『春秋穀梁伝』のいずれかとともに読まれる。『春秋』は春秋学と呼ばれる学問領域を形成するほど、伝統的に議論の的となっているという。そして時代は550年間の時を経て、秦の始皇帝の時代へと移行されていく。

十三　始皇帝とは

秦始皇帝は中国の史上において、また現代の私たちにとっても大きな話題を提供してくれた、いや今もなお、してくれている人物ではなかろうか。このことを前提にして、始皇帝の出自と焚書坑儒の始末記について述べてみたい。

始皇帝が全国を統一してからたったの15年で秦国は崩壊しているが、その祖から数えると結構長い。その祖を訪ねれば非子（大駱の子、前９３３～前８５８年）に辿り着く。中国西周期（西周第18代孝王時代）の人物であり秦の建国者である。非子は犬丘というところで、馬や畜を好んで養っていた。これを犬丘の人が孝王に彼を召して、渓水と渭水の間で馬を養わせた。馬は大いに繁殖したという。このような経緯で非子は秦の土地を手に入れ嬴氏の祭祀を継いだのである。これが始皇帝の秦の発祥のあらましである。

始皇帝と言えば、万里の長城や兵馬俑はあまりにも有名だ。日本の多くの方々も、日本海を越えて実際に見学に行かれているのではなかろうか。自身は残念ながら脳内旅行をしただけだ。そういえば今から三十数年ほど前、中国語教室のグループ学習をしている時に、大連から私費留学生として来日していた軍李さんという若き女性講師の方が、教材の中に出てくる万里の長城について誇らしげに語っていたことを思い出す。「万里の長城は人工衛星の中から見ることのできる地球上の唯一の建造物です」と。

また、１９７４年に発見された「兵馬俑坑」と言えば、出土したほぼ等身大の士卒や軍馬などの陶俑（使者と共に埋めた焼き物の人形や馬等）が一体一体違った表情で造形されていることに発掘者は驚かされたという。その後研究が進み、陶器の制作過程の段階で頭部手足等がパーツとして製造され組み立てられるといういわゆる分業制の形態をとっていたので、バラエティーに富んだ成型が可能であったことが判った。いわゆる手工業のシステム化だ。今も発掘調査が進められている。

万里の長城は有名であるが、始皇帝時代以外の時代に造られたものもある。中でも山東省にある「斉の長城」は、春秋戦国時代に斉国が築いた現存する最古の長城で、考証可能な遺跡も存在する。他方、河南省平頂山市葉県で確認された、「楚の長城」では、現存する総延長30㎞が発見されている。なお２０１２年6月、中国の国家文物局の調査によると長城の総延長距離は2万１１９６・１８㎞に及ぶという。長城建造の目的は一部国境線としての役割のものを除き、ほとんどが敵国の進入を防ぐものであったという。

　次は焚書坑儒についてである。李斯（中国秦代の宰相。中国春秋戦国時代の秦の政治家。字は通古。前２８０年～前２０８年）は荀子を師として帝王治世のすべてを学ぶ。そして、呂不韋（河南省上蔡の生まれ。荘襄王を王位につけることに尽力し、秦で王に次ぐ権力を持つ相邦として権勢を振るった。荘襄王より文信侯に封じられた。始皇帝の実父とする説もある。？～前２３５年頃）の推薦により李斯は秦王政に仕え、始皇帝が天下を統一後も近侍となる。荀子（中国戦国時代の思想家・儒学者。名は況。尊称して荀卿または孫卿ともいう。前３１３？～前２３８年以降）は孔子の教えを継承しつつ、諸国を遊説して侵略に反対し、他の思想を批判しつつも摂取して、儒学を体系化している。王道政治によって統治する理論を展開した。筍子の思想からすると李斯という人物を知らねば焚書坑儒は話を先に進むことができないだろう。

　中国の初代皇帝である始皇帝は、戦国時代の秦の第31代君主で、6代目の王。姓は嬴または趙、氏は趙、諱は政または正。現代中国では秦始皇帝または秦始皇と表現している。秦王に即位した後、勢力を拡大し他の諸国を次々と滅ぼして、前２２１年に中国史上初めて天下統一を果たし、最初の皇帝として諡号を贈られた。天下統一を完遂するために、重臣の李斯とともに、支配地全土に郡県制を施行したほか、文字・貨幣・度量衡などの統一を推し進めた。中でも焚書坑儒は、前２１３年、李斯自身が上言し弾圧を断行したという。また翌年、始皇帝に批判的な咸陽の学者約４６０人を抗に生き埋めにして殺したという。始皇帝のこれら一連の統一の断行は、ものの善悪は別として、至極当たり前の事と思う。始皇帝の秩序観としてのアイデンティティであるからだ。

　焚書坑儒の真相について研究者諸氏の見方を要約すると、確かに『史記』にも記述がある通り、事件そのものはあったが、儒教がとりわけ集中して弾圧されたものではないそうだ。『史記』始皇帝本紀に記述される「禁書令」は、丞相の李斯が提案したもので、内容は次の通り。一．『秦記』以外の歴史書の焼却。二．博士（宮中に仕える学者）以外の所持する詩経、尚書（始皇帝が設置した官名）、諸子百家の書物の焼却。三．詩経、尚書について集まって語る者あれば市中にてさらし首にする。四．

「古を以って今を非者は賊せん（一族を処罰する）」。五．官吏がそのことを見逃したら同罪。六．30日の内に焼かなければ入れ墨の刑にして築城の労働を課す。七．医薬、卜筮（占い）、種樹（農業）の書物は焼かなくてもよい。八．法令を学ぶものは官吏を師とせよ。

　李斯は始皇帝の死後に宦官趙高との権力闘争に敗れ、前208年に処刑されている。思うに李斯はもともと儒学者でありながら、他の思想も取り入れ、あたかも現実に即した儒学としてその説を展開した。始皇帝の重臣に取り立てられると、あろうことか権力の側に就き、単なる異論を唱えるだけでなく、始皇帝に上言し焚書坑儒の指南役となって儒家たちの弾圧の急先鋒となったのだ。ウィリアム・シェイクスピア（イギリスの劇作家、詩人。1564~1616年）はその作品の中で、裏切りは最大の悲劇であると深い洞察を示している。

　漢王朝の初代皇帝・劉邦没後の前191年、二世皇帝・恵帝は、民間人の蔵書を禁止した始皇帝時代の法令である「狭書律」を解除した。すると、家の壁などに塗りこめられていた書籍（すなわち木簡・竹簡）が出現しだした。また『尚書』の学を伝えた伏生という人物は、秦の統一前から漢代初期まで生きて、師から口頭で伝授された内容を暗記し、弟子に口述する「歩く書籍」として存在したという。このように他の儒者たちも同様に弾圧から解放され、孔子の儒教も息を吹き返したのである。前漢の代になると董仲舒（春秋公羊伝を踏襲する学者）の尽力もあり、なおかつ武帝の代には儒教が国教として採用され、春秋公羊学が定着の道へと歩み始める。

十四　孔子の大義の台頭

　奈落の底にあった儒教に手を差し伸べたヒーローは劉邦に他ならない。項羽との覇権の争奪戦を繰り広げ、遂に漢王朝初代皇帝に収まった男、劉邦は、人心を摑むことに長けていたと判じたいのである。徳川家康も劉邦の半生が記録された『史記』を愛読し、天下取りのお手本にしたと言われている。とにかく武人出の項羽に比べると、鈍くさいところがあり、また図々しさも持ち合わせている、非常に人間実のある武将に思えるのだ。農民の出であるかもしれない。庶民の煩わしさをかいくぐりながら、泥もかぶり、その才を自らひねり出す逞しさが、男の心を揺さぶるのだ。項羽がいたからこそ劉邦は漢王朝の初代皇帝となり、諡に高皇帝、歴史上では高祖と呼ばれるようになったのだ。ここで二つのエピソードを紹介したい。

一つ目は、始皇帝の狭書律を解除に踏み切った経緯だ。劉邦はこの狭書律こそ、民意を踏みにじって敵を作り、挙句には始皇帝自身を滅亡へと突き落とした元凶であると見抜いたのだ。国の基を敵にすることは、自滅へと追いやられることだと肝に銘じていたのである（狭書律の解除は、劉邦没後に恵帝に引き継がれた）。

二つ目は、咸陽に進軍した劉邦は、宮中の女性と財宝に目が眩んだが、張良（前２６２～前１８６年。秦末期から前漢初期の政治家。劉邦に仕えて多くの作戦を立案し、劉邦の覇業を大きく助けた。蕭何・韓信と共に漢の三傑とされる。劉邦より留に領地を授かったので留候とも呼ばれる）により「忠言は耳に逆らえども行いに利あり、良薬は口に苦いけれども病に利あり」という孔子の言葉で諌められ、踏みとどまったという。この二例は、劉邦に徳治の意志があり、孔子に縁深き指導者として取り上げた次第である。こうして、前漢、後漢、魏・蜀・呉の三国時代へと歴史は流れゆくのである。なお、『後漢書』（正史の一つで全１２０巻。南朝宋の范曄〈３９８年～４４６年〉の撰。志の部分が書かれた『後漢書』30巻は、晋の司馬彪〈?～３０６年〉の撰。『三国志』より後に成立）「東夷伝」の中に、倭の奴国が後漢初代皇帝光武帝（前5年～57年）に朝貢したという記述がある。

十五　正史『三国志』への道筋

後漢第12代皇帝霊帝の時代には、宦官と外戚の権力闘争により国力が疲弊し、重税と干ばつが重なった１８４年、張角が貧窮農民を率いて、いわゆる黄巾の乱

（目印として黄巾と呼ばれる黄色い頭巾を頭に巻いたことから名が付いた）を起こした。乱は20年間続き全国に拡大し、漢の権威は失墜した。この間、隙をついて朝廷に乗り込んだのは、山犬と恐れられていた董卓だ。彼は、首都洛陽で殺戮を繰り返した挙句、皇帝と百官たちを連れ出し、長安遷都を強行したのだ。これにより後漢王朝は崩壊し乱世へと突入したのである。春秋戦国時代の様相と似ている。歴史は繰り返す（古代アテナイの歴史家、ツキジデス〈前４６０～前３９５年〉。『歴史』に由来するとされる英語の成句）。戦争が題材であり、しかも継承され書かれている。

さて、この乱世から満を持して頭角を現したのが、後に魏国を建国した曹操（１５５～２２０年）である。後漢最後の皇帝、第14代献帝（１８１～２３４年）は自国の内乱により騒動に巻き込まれ、１９５年、董卓配下の李傕の軍営に連れ去られ、宮殿も焼き払われた。１９６年、曹操の配下等に擁され洛陽に帰還した。曹操の庇護のもと許に遷都。これ以降、曹操は漢室の庇護者として諸侯に号令をかけるようになった。また献帝の周辺から馴染みのものを排除し、自らの息のかかった者を配するようになった。こうして曹操の身分は丞相・魏公・魏王と地位も上がり、事実上の曹操王朝と言える状態に変質していった。以降遂に魏を掌握した曹操は、天下最強の軍団を作り上げた。そして、２００年に曹操は、董卓軍を破った河南省の豪族袁紹（?～２０２年）の大軍を官渡の戦いで撃破。２０８年、南方攻略に着手し80万の大軍を発したが、江東の軍閥孫権と劉備（蜀漢創始者）の連合軍により赤壁（湖北省、長江南岸の地）で大敗を喫した。結果、孫権は江南に勢力を張り、黄武の年号（２２２年）を立てて、独立国の体裁をとる。武昌（２２９年）で即位。大帝と称し国号を呉として、建業を都としている。こうして、三王朝鼎立時代を迎える。こうした中、魏は大尉（軍総司令官）司馬懿が魏の諸帝に仕え、蜀の諸葛亮孔明と戦い五丈原にて対峙、諸葛亮孔明は病により陣没（２３４年）。このことが原因の一つともなり、遂に蜀は２６３年11月に滅亡したのである。

十六　権力者司馬懿と女王卑弥呼

魏も武帝曹操の孫である二代皇帝明帝曹叡の没（239年）後、重臣司馬懿のクーデターにより、249年に政権を奪われた。

239年、倭国の女王卑弥呼は、当時中国で力のあった魏国へ男弟・難升米を中心とした使者を送る。使いの返礼として、金印と魏から「親魏倭王」の称号を与えられている。司馬懿の孫の司馬炎（236～290年）は、魏の第5代皇帝元帝曹奐から魏の帝位を禅譲されたとしているが、実際は簒奪して265年に晋王朝を建てたのである。その後、呉も晋の軍勢の前に崩れ去り、三国時代は終わりを告げるのである。

さて、ここからは、ここまで述べてきたことを前提として加味し、本書の要、「発想の転換」を旨とする孫栄健ワールドを、紹介する。勝手ながら孫氏の『邪馬台国の全解決』を要約させて頂き我が意をも述べてみたい。

後代清の歴史考証家趙翼（ちょうよく）（1727～1812年）は、その正史を考証した著書『二十二史劄記（さつき）』中で『三国志』を分析して、「陳寿は司馬氏において最も多く廻護す」と断じている。「廻護（の法）」とは「春秋の筆法」にある「内なる恥を諱（い）む」というルールで、帝室の悪業に対し、婉曲な筆使いを言う。

この意は、陳寿と司馬懿との関係に注意し、司馬氏の関係する史実は「廻護（の法）」を通して読む必要があるという。

『史記』の序論にあたる「太子公自序」の中で、執筆の目的を「春秋を継ぐ」ことだと明言している。司馬遷も孔子がそうしたように、社会批判をし、歴史を批判する精神を受け継ぎ、歴史を書き継いでいくのだという。「春秋を継ぐ」、これこそが中国史書の最大のテーマだ。

中国の著名歴史家章学誠（しょうがくせい）（1738～1801年）も『文史通義』の中で「史の大原（おおもと）は、春秋に本（もと）づく」と。『春秋』は孔子が世の乱れを憂い、「善を勧め、悪を懲らしめる」ため、魯国の年代記を、特別の意味をこめて編集し直して完成させたと伝説される。また「記載文学の発生以前の、口承によって語り継ぎ、歌い継がれてきた文学」とされている。それによって、理想社会の道（礼の義の大宗）を示したものだとか。孔子が、年代記を書き直した部分、レトリック・修辞法・巧言を「春秋の筆法」や「義礼」と呼ぶ。これには独特なルールがあるという。『魏志』の「規則的な矛盾」を考えるとき『春秋』を持ち出したのも、この点にあるという。

十七　筆法のルールとは

例として、魯国の十一代君主の死亡記事を書き出してみる（春秋は魯国の２４２年間の年代記）。

①隠公　十一年冬、十有一月壬辰、公が薨ぜられた。
②桓公　十八年夏、四月丙子、公が斉で薨ぜられた。
③荘公　三十二年、八月葵亥、公が路寝で薨ぜられた。
④閔公　二年秋、八月辛丑、公が薨ぜられた。
⑤僖公　三十三年、十有二月乙巳、公が小寝で薨ぜられた。
⑥文公　十八年春、王の二月丁丑、公が台下で薨ぜられた。
⑦宣公　十八年冬、十月壬戌、公が路寝で薨ぜられた。
⑧成公　十八年、八月己丑、公が路寝で薨ぜられた。
⑨裴公　三十一年夏、六月辛巳、公が楚宮で薨ぜられた。
⑩昭公　三十二年、十有二月己未、公が乾侯で薨ぜられた。
⑪定公　十五年、五月壬申、公が高寝で薨ぜられた。

まことに簡潔な文章だ。一見、特別の意味もなく、味もそっけもない。ところがなんと、これこそ「春秋の筆法」を用いたものであって、その簡潔な文の文字の裏や行間に、表面の記事には一切現れない裏の史実や孔子の深い褒貶・批評の意が込められているから、筋道（文の裏や行間）は大変であろうという。

『春秋』と「春秋の筆法」を解説するために書かれた書物『春秋三伝』即ち左氏伝（全30巻。左丘明の著と伝えられる）、穀梁伝（全12巻。魯の穀梁赤の撰とされる）、公羊伝（全11巻。戦国時代、斉の学者。孔子の門人の公羊高の作を、玄孫・曾孫の子寿と、弟子の胡母生等が録して、一書としたものとされる）の『三伝』を見ると、公の死亡原因が四種類あったため、四種類の書き方がされていると解説している。

③⑤⑥⑦⑧⑨⑪は、公が宮殿の室内（路寝・小寝・台下は室名、廟室名）で亡くなったことを書いている。つまり安楽往生をしたわけである。この形式が、中国式記録の正式の慣例だ。しかし、①④は「公が薨じた」とのみ記録され場所が書いてない。正式慣例と相違する。これは実は国内で暗殺されたのだという。死亡場所を敢えて書かないことにより、逆に特別な事情、即ち暗殺された史実を語っているのだという。云々。このように書き分けと事情が一致している。形式に反することによって、更に言い換えれば、文を規則的に矛盾させることにより、亡命中の病死や陰謀・暗殺のような、自国の君主の極めて不名誉な死の真相を、文の表面には一字一句出さず、しかし確実に記録している。生半可な読み方では孔子の「真意・大義」を読み取ることはできない。このため注釈書「春秋三伝」がうまれたのだという。云々。

陳寿の師である譙周（199?〜270年、蜀・西晋の学者・政治家。「譙周伝」によると建興年間に諸葛亮に召し出され勧学従事に任命されている。彼は蜀漢の第2代皇帝劉禅に魏への降伏を勧め、劉禅は受け入れた。その功績により陽城亭候に封ぜられた）も、当時を代表する公羊学の大家であり、陳寿も基本的には、春秋公羊学派の歴史家と、孫氏は見ている。では「筆法・義礼」発見の手立てはどうすればよいのか。それは3世紀に杜預（222〜284年）が著した『春秋経伝集解』であり、その中でも「春秋左氏伝」序の部分（部分とは「義」を直接説くことがなく、ただ「事」、すなわち出来事を記すので、孔子の意図が分かりにくい。晦いことが、儒家経典としての『春秋』の弱点であり、それを克服するためのロジックが必要と杜預は認識している、ということか）であるという。この杜預は、魏・西晋の重臣で、「左氏伝」の研究家としても著名であり、陳寿とも親しい友人（庇護者）でもあった。

思うに、陳寿が同時代史である正史『三国志』編纂にあたり、権力者司馬懿の逆鱗に触れず、春秋の筆法を駆使し無事編纂できたのも、蜀、魏の混乱期の両王朝の官職を歴任し、処世術に長けた師である「譙周」と「杜預」の存在が大ではなかろうか。それは過去の王朝の歴史が物語っている。また、杜預についてもその評価を変えなくてはならないと思う次第である。

私はこの書を手掛けるまでは、残念なことに譙周も杜預の存在もまるで知らなかったのである。婦好の場合も然りである。今回は正史『三国志』にまつわる話であり、これもたまたま一連の人類考古学を学んでいる際に、必然的に歴史の中で出会った事項であったのだ。当然、卑弥呼のことは、日本史の中に登場する得体のしれない占い師の女性ぐらいにしか思っていなかった。それが4、5年前にたまたま孫栄健氏の著書に出会い、読み進むうちにこんなことがあったのかと、私の学びの人生を一変させるほどのものであったのだ。考古学、歴史学といってもすべて人間が行動し、積み上げてきた結果に他ならない。

そこで、正史『三国志』「魏志東夷伝倭人条」関連に話を戻す。今まで学習させて頂いた知見によると、編者の主役は陳寿であると既定の事実として自身は受け取っていたのだが、どうもそうではないらしい。私が取り上げている孫氏の著作の中で「陳寿には晋の王朝に仕えた御用史官としての立場があった。また陳寿は、三国時代を活写するには打ってつけの歴史家だった。動乱の世に生きた歴史家が自ら直接見聞したことを、政府の歴史編の官として見ることのできた軍事、政治面にわたる三国の資料、政治広報、「秘府・非閣」の機密文書をもとに書き上げた。しかし、陳寿が完全に自由な立場、自由な考え（『春秋』の継承者として）から『三国志』を書いたかと言えば、実はそうではない。彼には晋の王朝に仕えた御用史官としての立場があった」と述べている。

このことから実際の主役として浮かび上がるのは、陳寿の両脇に並び立つ譙周と杜預である。この二人の存在を前面に出し、さらに深読みをして語ることにより、正史『三国志』の輪郭がより鮮明になるような気がするのである。残念ながらそれは、今回は叶わない。「春秋左氏伝」序には、筆法の原理として「春秋は文を錯（たが）うるを以って義を見（あら）わし、一字を以って褒貶（ほうへん）を為す」と論破を記す。この意は「文を「意図的に矛盾」させ、それによって、文の奥に真実の情報（義）を秘めること」と杜預は言っている。また、杜預『春秋経伝集解』のいう「数句須って言を成す」規則であり、今の言葉にすれば言語・文（言）だけでなく言述の構造分析により、真相の抽出を行えとの発想なのであると言う。云々。

さて、私にはまだまだ孫氏のこの著書を引用して記述したいことが、80％以上残存しているが、紙面の都合上叶わず、読者の方々に本書と孫氏の著書を読み比べて頂き、ご批評願えれば望外の喜びである。

十八　遺跡を訪ねる

私は、5年ほど前に妻と連れ立って、九州旅行で吉野ヶ里遺跡を訪れた。福岡から目的地の佐賀県まで電車で移動の途中、車窓から見える景色は小高い山々が連なり、そこには古代の遺跡が多く眠っていそうな気がした。それは、同郷の相澤忠洋氏が日本で初めて旧石器時代の存在を発見した岩宿遺跡に、私が考古学を独学で始めたころ、研究のために何度も訪れたが、その周辺の景観が似ていたからであろうか。そして、この岩宿遺跡は、日本の旧石器考古学史上最も重要な発見にも拘わらず、国家の権威に阻まれ相澤氏の純然たる執念は評価されないまま今日に至っている。文化財保護法が泣いている。

また、暫くしてから著名な考古学者の方とお会いするため、静岡県のミュージアムを訪問した際、近くに存在する弥生時代後期から古墳時代にかけての登呂遺跡を訪ねた。当時の人々の生活を伝える重要な遺跡として有名である。公園として整備され、当たり前の話だが吉野ヶ里遺跡と佇（たたず）まいは似ている。ただ、この登呂遺跡は戦後の発掘当時に岩宿遺跡とただならぬ縁で結ばれていることを知る人は少数になっていることであろう。

そして、今から2年ほど前に、再び福岡の地を訪れた。当然、孫氏の書かれたその地を、自身で踏査することが目的である。孫氏は著書の中で次のように指摘している。

「考古学者の定説では、伊都国の中心は、糸島市前原町の平原遺跡周辺と考えられている。そこで、平原部落を中心にして半径4・34㎞の円を描き、その円周状で港の機能を持ちうる地点が、すなわち不弥（ふみ）国だと推定できる。というのは魏志の旅程は全水行という見地より考えて、どうしても船の着けられる所でなくては具合が悪い。孫氏は、不弥国とは、一大率が伝送の文章等を捜露した伊都国の津（港）ではないか、そしてそれが現在の古代糸島水道東端の周船寺付近ではないかと、逆算して推測できる」という。

　この論をこの目で確かめるため、福岡天神から電車を乗り継いで周船寺駅で下車、周囲を散策したが、思い描いていたような場所はなく、ただの田舎という雰囲気であり、観光案内所で聞くも怪訝そうな顔で、周辺に歴史的モニュメントなどは存在しないとのことであった。何か割り切れない気持ちでその場を後にした。しかし、孫氏の著書210頁掲載資料の糸島水道略図（『日本歴史地理総説』「古代篇」より作図）を照合すると孫氏の説明は理解できる。糸島水道は利便性から土木工事が繰り返され、自然現象も相まって、現在は陸化され周船寺周辺は大きく様変わりしている。

　翌日、糸島市立伊都国歴史博物館に足を運んだ。周船寺駅からタクシーで15分ぐらいの場所にあった。伊都国王特別展ということで、女王卑弥呼の墓とされる平原王墓からの出土品が数多く展示されていた。特に目を引いたのは、40枚の銅鏡である。超大型で、直径46・5㎝の内向花文鏡5枚、他の内向花文鏡が2枚、方格規矩四神鏡が32枚、四螭鏡1枚。これだけ多くの数と大きさは全国でも例がないという。そのうちの多くが割られた状態であった。

　1988～1999年度の調査にて、遺跡からは5基の墳丘墓が確認され、うち3基が弥生時代、2基が古墳時代のものであるとわかった。最も大きい1号墓で14m×10m。この墓から鏡や装飾品が埋納されていた。女王卑弥呼の墓と目されている。

　翌日、平原遺跡を見学した。博物館からタクシーで10分程のところだ。やはり、市民の公園として整備され、多くの方々の憩いの場として親しまれている様子。この日も駐車場には多くの車が駐車していた。公園内には一般道路も通っていて、車両が行き来していた。チョッと私の思い描いていた所とは違っていた。緩やかなアップダウンの道路を進んで行くと、両脇は一面のコスモス畑となっていて、しなやかにその花びらをなびかせながら、来園者を出迎えているようであった。

道はカーブしていて、目的の場所がなかなか目に入らない。土地勘のない私が観光客らしき人に声をかけると、前方の右手を指さして、「あちらの方ですよ」と教えてくれた。見ると公園の片隅の方向に竹藪がある。急ぎ足で向かうと、墳丘墓らしきものが目に飛び込んできた。

孫氏は著書224頁において次のように述べている。

「遺跡の発見は偶然の所産だ。今後どのような発見があるかもしれない。だが、この条件に当てはまる遺跡なら、今まで発見された遺跡の中にも見当たる。伊都国の故地――福岡県糸島市の前原町には、有名な平原弥生遺跡がある。東西二つの遺跡よりなる。その西のものは、中央の方形部は東西一七メートル、南北一二メートルで、幅二～三メートルの溝が周囲にめぐらされた方形周溝墓だ。その中央に幅一メートル、長さ三メートルの割竹形木棺が据えられており、その内外から白銅鏡四二面、素環頭太刀一、刀子一、ガラス勾玉三、コハク丸玉約一〇〇〇、めのう菅玉一二、他にガラス管玉・小玉など夥（おびただ）しい副葬品が出土している。副葬品の中に武器がほとんどなく、ネックレスやブレスレットなどのアクセサリーが多いこと、中国で身につける耳当（じとう）とよばれるイヤリングがあることから、葬られているのは女性ではないかと考えられている。

その東のものは、東西一三メートル、南北八メートルであって、周囲の溝からは、寝た状態で十六人の殉葬者が推察されるという。卑弥呼の墓の条件の一つは「殉葬者のあること」だが、日本国内の弥生遺跡では、殉葬者のある遺跡は、平原遺跡を除くと一例も発見されていない。①女性であり、②殉葬者がある、となれば、もう答えは一つしかないかもしれない。この平原の遺跡は、三種の神器と同じ、鏡、玉、剣を組み合わせた副葬品を持ち、その被葬者は、女性ではなかったかと推測されている。――原田大六氏『実在した神話』『卑弥呼の墓』。

奇妙なことに、あるいは奇怪なことに、たくさんの銅鏡が発見され、その中には直径四六・五センチの巨大鏡も五枚あるらしいが、なぜかそれらの銅鏡は人為的に割られているらしい。また当時は甕棺墓が主流らしいが、なぜか木棺墓だ。「倭人伝」は、「棺あり槨なし」（有棺無槨）と書くが、『魏志』「韓伝」馬韓の「有棺無槨」と同じだ。」

この記述の中の傍点の部分が、曖昧な言い回しになっている。何故であろうか。特に『実在した神話』では銅鏡においては、国宝に指定されている（銅鏡は銅と錫との合金製の鏡、白銅鏡はニッケルと銅と合金）。私も糸島市立博物館で実物を見ている。また、この記述は孫氏にとっても著書の重要なポイントとなるところであり、考察と考古学上証明された部分の区分が鮮明になっていないのである。このままだと非常に残念であるが、『邪馬台国の全解決——中国「正史」がすべてを解いていた』の表題に（？マーク）を付けなければならない。

しかし、よくよく考えてみるに、異常に文体が歪んでいる。杜預『春秋経伝集解』でいう文の錯え、事同じくして文が異なるケースか、「春秋の筆法」なのか。その比較人物を挙げる。a．原田大六。１９１７～１９８５年。福岡県糸島郡前原町・現糸島市出身。中山平次郎博士の指導を受ける。平原遺跡発見者。主著『実在した神話——発掘された「平原弥生古墳」』『卑弥呼の墓』。b．中山平次郎。１８７１～１９５６年。京都出身。医学博士、歴史学、考古学を研究。北部九州から近畿への移動説を唱え推進する。c．大神邦博。福岡県立糸島高等学校教諭。原田大六氏と共に平原遺跡発掘調査に参画。

これら研究者の方々の経歴を知ることにより、孫氏の意図がより鮮明になる筈である。云々。

さて、もう少しお付き合い願いたい。墳丘墓に辿り着き、しみじみとその姿を見つめ手を合わせる。中国西晋の権力者司馬懿にそそのかされ、信じていた男弟難升米が刺客となり密殺されたという説もある女王卑弥呼の末路を思うと、思わず現代の世相が、脳内を駆け巡る。暫く周囲を散策する。ざわざわと竹藪から音が聞こえてくる。まるで何かを語りかけているようだ。彼方には高祖山ものぞかせている。

時計を覗くと、針は13時近くを指している。空腹を覚え近くのベンチに腰を下ろし、コンビニで買い求めたサンドイッチを口にする。少し離れたところに、ご婦人二人が談笑しながら、休憩している。服装からしてこの土地の人らしい。思い切って声を掛けると、私の勘は当たった。二人は友達で、暫くぶりで公園に遊びに来たと言う。

「卑弥呼の墓にはもう行ってきましたか」と、聞くと、えっという表情で「どこにあるのですか？」

経緯を説明すると、「私は高祖山の麓に住んで15年程になりますが、知りませんでした。もう一度行ってみます」と言って、二人は再び墳丘墓へ向かったのである。私は、駐車場に戻り予約していたタクシーで予定していた高祖山に向かった。

大和朝廷の命で吉備真備が対新羅戦のために築いた史跡、怡土城址まで行き、見学をした。城址は高さ10m程の石垣の土塁になっている。登ると、見晴らしもよく砦といった感じがする。

そこから徒歩で、卑弥呼の居所「高祖山」山頂を目指し歩く。途中多くの民家があり、道路も舗装され緩やかな上り坂になっている。

土地勘のない私は、登山入り口に着くまで時間を費やしてしまったらしい。登り始めたが獣道のようで、ガレ場のような場所も有り軽装備の私は困難を極めた。半分ほど登ったところで、張り出した木の根につまずき、転んだ時に向う脛を打ってしまった。裾をまくり見ると、血がにじんでいる。痛さをこらえながら、さらに登ると、少し開けた場所に出た。時計を見ると15時30分を過ぎている。もう日が傾きはじめている。

頂上まで後１５０ｍ位らしい。頂上の方向に目をやると、更に勾配が急になっている。今まで登って来たところを見やると、小石が転がっている獣道が曲がりくねって続いていた。木々の間からは、博多湾がかすかに見える。卑弥呼は、このような場所で何を思い生活を送っていたのであろうか。

頂上の付近には岩穴が存在しているという。時間を考え頂上に登るのは諦め下山することにした。登山口に戻ると辺りはすっかり夕暮れになっていた。迎えのタクシーを待つ間、脳裏に浮かんだのは弥生時代の昔はもっと鬱蒼としていて、警護の兵がいたとしても、色々と不便が多かったに違いない。暫くすると迎えのタクシーが到着した。

十九　女王卑弥呼の死の真相

　金印が出土した玄界灘に存在する志賀島を訪ねるため、フェリーに乗船した。客室内の窓際の椅子に座し、フェリーの飛沫を見つめ、物思いにふけっていると、突如、岩礁の先端らしきものが目に飛び込んできた。おやと思い目を凝らすと、暫くしてまたもや、舳先から生じる波飛沫の周辺に、岩礁の先端らしきものが目に映った。そうだ荒波暴れる玄界灘なのだ。遠方に目を移すと、幾つかの小島が見えた。

　紀元57年、光武帝に朝貢し、「漢委奴国王」の金印を受けた大夫一行は、帰国の途中、博多湾のいずれかに入港する寸前に難破して、志賀島に打ち上げられたのではなかろうか。その時に、紛失してしまったのではなかろうか。大夫たちの安否は定かではない。これに通じることでもあるが、卑弥呼に関連して、魏皇帝から金印、銀印が下賜されているが、その存在は不明である。何処に消えたのか。難升米が分捕ったのか。云々。

　女王卑弥呼の死についての見解だが、孫氏の言葉を引用する（『邪馬台国の全解決』３０１～３０２頁）。

「とくに魏の皇帝の詔書や軍旗、その国王を飛ばして、異民族の臣下に出されるなど絶対に有り得ない。その国王に対して、だけだ。①「拝下倭王」②「拝下難升米」①で魏の皇帝の詔書が「倭王」に発せられている。②で魏の皇帝の詔書が「難升米」に発せられている。つまりは、同一人物なのだ。これは本章のはじめで、春秋文妾説話で述べた記述法と同じだ。杜預『春秋経伝集解』で言う《事同じくして文異なる》のやり方なのだ。煙の下には火がある。すると、卑弥呼の死の直後に立った男王が誰か、わかりきった話となる。卑弥呼の男弟の、「伊都国王」なのだ。「男弟」が「男王」なのだ。それは前章で見たように、「一大率」であり、女王を「佐治国」しながら伊都国に「常治」し、諸国を検察し、畏憚させた人物、名は「難升米」なのだ。すこし文章的交通整理をしたが、その視座から「倭人伝」を読み直すと、話は実にスーッとおさまる。これは「属辞比事」式の読み方だ。韓伝もだが、「倭人伝」は、その手法を用いて書かれており、読み手は、文句を言ってもしょうがないから、あきらめて、その手法で読むしかないのだ。これは『礼記』「經解第二十六」の「属辞比事なるは春秋の教えなり――属辞比事して乱れざるは則ち春秋に深き者なり」という特殊な文章伝統だ。」

この様な流れの中で、魏国は司馬懿を通して、男弟難升米を倭王として公認したことになる。親魏倭王卑弥呼は、結果として、新倭王・男弟難升米に密殺されたのだという。だが逆に国に内乱が起こり、当の男弟難升米が敗死か逃亡。内乱後、十三歳の妹、壱与が新女王となる（倭人伝末尾に記述有り）。新体制の倭国は、帯方郡の役人塞曹掾史張政を伴い魏の都に朝貢に向かう。

私は本書の付録として、権力の奪取に失敗した男弟難升米の末路について、推測したい。山口県の西端部に位置する響灘沿岸の一角に、土井ヶ浜遺跡（下関市豊北町）が存在する。多くの渡来系弥生人が、埋葬されているという。その中に、計15本もの矢が刺さり、頭部は鈍器でつぶされ、白骨化した遺骨が発掘されている。この土井ヶ浜第124号人骨は、「英雄の墓」と呼ばれている。このことについては、諸説が語られている。

女王卑弥呼の追討軍に追われた男弟難升米は、北九州から関門海峡を渡り、「男王卑弥弓呼」の地と思われる中国山地に隣接する土井ヶ浜辺りまで来たのではなかろうか。地理状況を知り尽くしている男弟難升米は、手を組むことを意図して、あろうことか、邪馬台国と敵対する「狗奴国男王卑弥弓呼」の地で、姉でもある邪馬台国女王卑弥呼を、密殺し、銅鏡を破壊、あまつさえ犯行の隠滅を図り、死体を高祖山の山林に打ち捨てたのだ。その時に分捕った装飾品を手土産に、僅かな手勢と共に逃げ延び、やってきたとしても、筋は通ると思うのであるが。

だが、事はそう甘くはなかった。居場所を突き止めた追討軍は、男王側に、男弟難升米の引き渡しを強く求めたのである。男王は、当初は引き渡しを渋っていたが、何らかの事情で追討軍の要請に応じる形を取ったものと思われる。このような事が、『古事記』や『日本書紀』の神話となって語り継がれ、畿内大和朝廷倭国東遷の歴史となっていったのではあるまいか（勿論、飛鳥・奈良時代の大陸中国との交流において、国家形成の歴史を学び取る中）。そして、無残な形で伊都国王・男弟難升米は、処断されたと思われるが、はたまた勇気ある王との伝承もあることから男王卑弥呼の可能性もなきにしもあらず。

多くの場合、歴史の真実は摑みにくいのが実情である。であるが、この様な有形無形の変化を孕みつつ、示しつつ、物事の実態は連鎖進行しているに違いない。そして、これら全ての時空を超えて登場する人々は、また、21世紀の現代に生きる私も、あなたも当然、ホモ・サピエンスの末裔たちに違いない。

参考文献

相沢忠洋『「岩宿」の発見——幻の旧石器を求めて』講談社文庫
孫栄健『邪馬台国の全解決——中国「正史」がすべてを解いていた』言視舎
松山善三『ああ人間山脈——「フォーエバーセンセイ」取材の旅』潮出版社
高杉良『社長の器』講談社文庫
池波正太郎『槍の大蔵——真田武士小説集』立風書房
犬養孝『万葉のこだま』PHP研究所
ヘレン・ケラー著、山﨑邦夫訳『ヘレン・ケラーの日記——サリヴァン先生との死別から初来日まで』世界人権問題叢書109、明石書店
大野進『世界の伝記——ノーベル』ぎょうせい
宮武外骨『滑稽漫画館——気色と癪肝』河出文庫
遠藤周作『ボクは好奇心のかたまり』新潮文庫
高浜虚子選『子規句集』岩波文庫
石川啄木『時代閉塞の現状　食うべき詩』岩波文庫
吉行淳之介『女をめぐる断想』ランティエ叢書20、角川春樹事務所
三島由紀夫『若人よ蘇れ・黒蜥蜴　他一篇』岩波文庫
ゲーテ著、柴田翔訳『親和力』講談社文芸文庫
太宰治『走れメロス　富嶽百景』岩波少年文庫553
石川啄木『啄木歌集』偕成社文庫
紫式部著、與謝野晶子訳『全訳　源氏物語』角川文庫
司馬遷著、小川環樹・今鷹真・福島吉彦訳『史記列伝』ワイド版岩波文庫
松本清張『吉野ヶ里と邪馬台国——清張古代游記』NHK出版
司馬遼太郎『新装版　歳月（上）（下）』講談社文庫
稲畑耕一郎監修、劉煒編、尹盛平著、荻野友範・崎川隆訳『図説　中国文明史2　殷周——文明の原点』創元社
稲畑耕一郎監修、劉煒編著、何洪著、荻野友範訳『図説　中国文明史3　春秋戦国——争覇する文明』創元社
稲畑耕一郎監修、劉煒編著、伊藤晋太郎訳『図説　中国文明史4　秦漢——雄偉なる文明』創元社
稲畑耕一郎監修、劉煒編、羅宗真著、住谷孝之訳『図説

中国文明史[5] 魏晋南北朝――融合する文明』創元社
野尻湖ナウマンゾウ博物館『野尻湖ナウマンゾウ博物館研究報告第11号』「野尻湖の発掘 9 発掘報告／第14次野尻湖発掘」
文化庁『我が国の文化政策 平成28年度』
大倉学執筆、川村真理子他編、裾分一弘著『レオナルドのもう一つの遺産――〝レオナルドの手稿〟／近代会計学の父ルカ・パチョーリとの関係――』栄光教育文化研究所：アイ・フォスター
檀一雄『火宅の人』新潮社
中曽根康弘『わたしがリーダーシップについて語るなら』ポプラ社
『性を決めるXとY――性染色体と「男と女のサイエンス」』ニュートンムック（Newton別冊）
今泉忠義『源氏物語 全現代語訳（一）――桐壺 帚木 空蟬――』講談社学術文庫
清原康正『山本周五郎のことば』新潮新書
落合信彦『極言――勝者の合言葉』ザ・マサダ
村上春樹『ノルウェイの森（下）』講談社
塩野七生『ローマから日本が見える』集英社インターナショナル
イアン・タッターソル著『鏡の中のサル 何が私たちを人間にしたかに関する科学エッセー』（原題 "The Monkey in the Mirror: Essays on the Science of What Makes Us Human"）日経サイエンス2002年3月号
菊池徹夫『考古学の教室――ゼロからわかるQ＆A65』平凡社新書
足立倫行『倭人伝、古事記の正体――卑弥呼と古代王権のルーツ』朝日新聞出版
町田洋、新井房夫、森脇広著『地層の知識――第四紀をさぐる』、基礎の考古学、東京美術
篠田謙一『日本人になった祖先たち――DNAから解明するその多元的構造』NHK BOOKS 1078、NHK出版
明治大学校地内遺跡調査団『明治大学校地内遺跡調査団年報3』
E・S・モース著、近藤義郎・佐原真編編訳『大森貝塚』岩波文庫

アリス・ロバーツ著、野中香方子訳『人類20万年 遙かなる旅路』文藝春秋
安田喜憲『一万年前――気候大変動による食糧革命、そして文明誕生へ』イースト・プレス
斎藤忠、杉原荘介、藤原宏志、坪井清足、江坂輝彌、松崎寿和、網干善教、粉川昭平、相沢忠洋『地下に歴史を掘る 日本の考古学一〇〇年』朝日新聞出版
国立科学博物館編『日本列島の自然史』国立科学博物館叢書④、東海大学出版会
相澤忠洋顕彰刊行会『追憶 相澤忠洋――一九四九年九月十一日 この日に歴史が動いた』
(財)群馬県埋蔵文化財調査事業団編『旧石器時代 群馬の遺跡1』上毛新聞社
笠懸野 岩宿文化資料館編『岩宿時代を知る』１９９３年度 岩宿大学講義録集、笠懸町教育委員会
夏目漱石『草枕』新潮文庫
養老孟司『脳の見方』ちくま文庫
新日鉄住金『鉄と生命の新・モノ語り』
日経ポケット・ギャラリー『東山魁夷』日本経済新聞出版社
東京富士美術館編『方召麐の世界』
調布市武者小路実篤記念館『講演記録集第二集 １９８８年秋-１９８９年春』
田丸ようすけ画、高木輝洋&ザ・グループ21作『46億年目のＳＯＳ!――人間と地球の共存を求めて――』公明コミックス
菅野博史『法華経――永遠の菩薩道』新仏典入門叢書、大蔵出版

(順不同)

あとがき

２０２３年、私は、執筆の裏付けのために京都、奈良、山口、福岡を訪れた。中でも山口県下関市豊北町神田上に所在する土井ヶ浜遺跡の初訪問は、忘れることが出来ない記憶の一ページとなった。

広島駅で新幹線からJR在来線に乗り換え現地に向かったのだが、途中大雨の影響で沿線に崖崩れが発生していて、代行バスによる行程となり、現地到着が16時過ぎになってしまったのである。結局、現地の土井ヶ浜遺跡・人類学ミュージアムに着いたのは、閉館の15分前であった。係員の方に事情を伝えると快く許可をいただき、くまなく館内を見学することができた。「戦士の墓」あるいは「英雄の墓」などと呼ばれている埋葬人骨は、鏃(やじり)の傷跡が検証され、矢が刺さった状態で展示されていた。他にも多くの遺物遺構を見学することができ、貴重なひと時を過ごしたのであった。

また、奈良県桜井市の箸墓古墳は、広大な前方後円墳であり、周囲には宮内庁の立ち入り禁止の立て看板が設置され、物々しさを感じさせている。一説には卑弥呼の妹、壱与が埋葬されているのではとも。ともかくも手つかずの古墳であり、今後の調査が期待される。

次は二度目の高祖山登山の挑戦であるが、今度は前日にあいにくの雨が降り、登り始めたものの至る所で雨水が浮いている状態のため、今回も登頂を断念した。しかし周囲を散策する途中であることに出くわした。それは高祖神社の方向から普段聞いたことのない調子で、拡声器を利用した祝詞のような声が響いているではないか。あたかも何か呼び掛けているようでもあった。それは、毎年皇居で年始に挙行されている歌会の時に、歌を紹介する読み手のあの語尾を長く伸ばす調子によく似ているのである。

その時ふと脳裏に浮かんだのは、深い山林の中で卑弥呼が警護の者たちと取った連絡手段は、音声通信であったのではないかということだ。そしてまた、春日市奴国の丘歴史資料館は広大な土地に多くの遺跡遺構が点在し、多くの遺物も展示され弥生銀座の名にふさわしい所だ。発掘された遺物から、この奴国の地は、当時武器の一大生産地であったことが明らかとなったという。聞けば周囲には多くの遺跡も存在するとの予測のもと、市で周囲の土地を買収し、吉野ヶ里歴史公園のように再開発するという構想があり、整備事業をすすめているとのことだ。

なお、本書は歴史書等に基づいた随筆的構想である。

著者略歴

柳原　雪信（やなぎはら・ゆきのぶ）

1947年生れ
群馬県高崎市出身
2016年頃より考古学を独学にて自己研鑽を積む
2017年　新考古学総合研究所設立
2018年　考古学他執筆開始
2023年　「考古・史学」とフォトの個展開催

「考古・史学」連鎖の世界を見る

2024年4月11日　初版発行

著　者　柳原雪信

制作・発売　中央公論事業出版
〒101-0051　東京都千代田区神田神保町1-10-1
電話　03-5244-5723
URL　https://www.chukoji.co.jp/

カバーイラスト／箕浦太二
装丁／竹内宏江
印刷・製本／藤原印刷

ISBN978-4-89514-551-0　C0020